3 avril

Pour Normand,
un roman à quatre
mains. Tu es une
amitié nouvelle pour
moi et je l'apprécie.
Rane Fortin

MiNOU

Pierre Fortin • Pierre K. Malouf

MINOU

THRILLER

Catalogage avant publication de Bibliothèque et Archives nationales du Québec et Bibliothèque et Archives Canada

Malouf, Pierre K., 1943-

Minou

(Collection La Mandragore)

ISBN 978-2-89726-040-8

I. Fortin, Pierre, 1949- . II. Titre. III. Collection: Collection La Mandragore.

PS8576.A534M56 2013 C843'.54 C2012-942744-6

PS9576.A534M56 2013

Pour l'aide à la réalisation de son programme éditorial, l'éditeur remercie la Société de Développement des Entreprises Culturelles (SODEC), le Programme de crédit d'impôt pour l'édition de livres - gestion SODEC ainsi que le Conseil des Arts du Canada. L'éditeur remercie également le Gouvernement du Canada pour son aide en regard du programme du Fonds du livre du Canada.

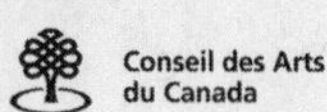

Marcel Broquet Éditeur
351 Chemin Lac Millette, Saint-Sauveur (Québec) Canada J0R 1R6
Téléphone : 450 744-1236
marcel@marcelbroquet.com
www.marcelbroquet.com

Réviseure : Christine Saint-Laurent
Couverture et mise en page : Roger Belle-Isle

Distribution :
Messageries ADP*
2315, rue de la Province
Longueuil (Québec) Canada J4G 1G4
Tél. : 450 640-1237
Téléc. : 450 674-6237
www.messageries-adp.com
* filiale du Groupe Sogides inc.
filiale du Groupe Livre Quebecor Media inc.

Distribution pour la France et le Benelux :
DNM Distribution du Nouveau Monde
30, rue Gay-Lussac, 75005, Paris
Tél. : 01 42 54 50 24 Fax : 01 43 54 39 15
Librairie du Québec
30, rue Gay-Lussac, 75005, Paris
Tél. : 01 43 54 49 02
www.librairieduquebec.fr

Distribution pour la Suisse :
Diffusion Transat SA
Case postale 3625
CH-1211 Genève 3
Tél. : 41 22 342 77 40
Fax : 41 22 343 46 46
transat@transatdiffusion.ch

Diffusion – Promotion :
r.pipar@phoenix3alliance.com

Dépôt légal : 1er trimestre 2013
Bibliothèque et Archives du Québec
Bibliothèque et Archives Canada
Bibliothèque nationale de France

© Marcel Broquet Éditeur, 2013
Tous droits de reproduction, d'adaptation et de traduction interdits sans l'accord des auteurs et de l'éditeur.

-Nous mentons tous.-
Normand de Bellefeuille

-C'est l'un des mystères attachés
à la condition humaine et la définition
de sa folie existentielle, que le domaine
de l'inexistant ait presque toujours la part
la plus belle par rapport au domaine
de l'existant.-

Clément Rosset

Prologue

Moscou, 14 juillet 1998

Monsieur Maurice Gratton
Chroniqueur judiciaire
La Presse

Cher Monsieur Gratton,

Je vous écris pour me libérer du lourd fardeau qui pèse sur mes épaules depuis huit ans.

Mon ami, Jean-Luc Dupré, a communiqué avec vous en 1992 au sujet de la disparition de Michelina Martucci en 1950. Vous étiez à ce moment-là au journal Allô Police. L'enquête policière menée à l'époque n'a pas donné les résultats escomptés. En 1989, lorsque Jean-Luc et moi nous sommes retrouvés sur le parvis de l'École Polytechnique, au moment des tristes événements que vous connaissez, le souvenir de Michelina s'est ravivé. Nous avons alors entrepris, à nos âges respectables, de faire la lumière sur cette affaire.

Nous ne sommes pas des policiers ni des juristes, donc il était difficile d'arriver à une conclusion véritable. Une chose est certaine, la disparition de Michelina (sa mort ?) est dramatique. Une petite fille de dix ans (elle aurait maintenant cinquante-huit ans) a été extirpée de son foyer familial, aurait subi les pires sévices, aurait probablement été tuée. Les suspects dans cette histoire sont des êtres immondes. Les policiers les ont tous innocentés.

Et personne aujourd'hui ne s'en soucie ! C'est odieux !

Entre janvier 1990 et août 1992, Jean-Luc et moi avons entretenu une correspondance serrée à propos de cette affaire. Nous avons retourné toutes les roches imaginables. Nous nous sommes crêpés le chignon, avons vécu des calamités personnelles et familiales, avoué nos ultimes secrets, sans arriver à une solution. Finalement, la police s'en est mêlée et le dossier a été rouvert. Les résultats furent aussi déplorables en 1992 qu'en 1950. L'affaire n'est pas encore résolue. Nous nageons toujours en plein mystère.

Ce courrier, je vous l'achemine dans l'espoir que vous pourrez en tirer des conclusions auxquelles nous n'avons pu aboutir. J'ai lu et relu ces lettres depuis. Lu et relu. Décortiqué les textes et aligné les preuves. Comme Jean-Luc l'avait fait avant moi. J'ai bien quelques certitudes, mais rien de définitif. Par contre, j'ai la conviction que la réponse se trouve ici dans ces soixante-dix lettres. Il y a, sans doute, un détail, un indice, que nous n'avons pas réussi à cerner. Un élément pouvant servir de pièce à conviction. Vous avez en main tout ce que cette recherche a pu mettre à jour. De grâce, aidez-nous.

Je crois sincèrement que, avec un œil objectif, vous pourrez y arriver. Parfois, comme le veut l'expression, on ne voit pas les arbres à cause de la forêt.

Je m'en remets à vous pour nous aider, nous (me) sortir du doute. Vivre avec cette angoisse est devenu insupportable !

Comme vous avez déjà publié un article sur l'un des suspects, vous trouverez sans doute matière ici à approfondir le dossier. Je n'aurais aucune objection à ce que vous en fassiez mention dans votre journal.

Tirez vos propres conclusions et rendez justice à Michelina !

Bien à vous,
Robert Daigneault

P.-S.- Pour me contacter, faites parvenir vos lettres à la boîte postale 533 de la succursale Fleury au 1221, rue Fleury, à Montréal. On me les acheminera dans les meilleurs délais.

1990

• 1 •

Montréal, le 20 janvier 1990

Mon cher Robert,

J'imagine que tu es étonné de recevoir cette lettre. J'espère que tu vas la lire jusqu'au bout.

Quand on s'est rencontrés devant Polytechnique, le 6 décembre, c'est juste si on s'est dit trois mots. On s'est reconnus tout de suite, mais tout à la joie de retrouver nos filles, on a à peine eu le temps d'échanger une bonne poignée de main. J'aurais aimé piquer un bout de jasette, mais, vu la panique de ta fille, tu avais autre chose à faire. Résultat, tu es parti trop vite pour me laisser tes coordonnées ou noter les miennes.

Tu te demandes sûrement comment j'ai fait pour retrouver ta trace. C'est bien simple, nos filles fréquentent la même école. Sans être des amies, elles se croisent tous les jours. J'ai donc chargé Nathalie de se renseigner auprès de ta fille, qui a refusé tout net de lui fournir ton adresse ou ton numéro de téléphone. En désespoir de cause, je rédige la lettre que tu es en train de lire. Je vais la donner à Nathalie avec mission de la refiler à ta fille Micheline, qui devrait te la faire parvenir. Je croise les doigts.

En fin de compte, l'idée de t'écrire au lieu de te téléphoner ou de te rencontrer dans un bistro ne me déplaît pas. Peut-être te demandes-tu pourquoi je tiens absolument à te contacter. Lis-moi jusqu'au bout et tu vas comprendre.

Nous nous écrivions souvent à l'époque, tu te souviens ? Tout a commencé en 1950. Tu venais de déménager dans NDG, moi, je restais toujours dans Villeray. J'ai conservé tes lettres. La dernière est datée du 6 décembre 1952, je l'ai devant les yeux. Drôle de coïncidence comme date, n'est-ce pas ? Je t'ai répondu, mais ensuite tu ne m'as donné aucun signe de vie jusqu'à ce qu'on se rencontre par hasard dix-sept ans plus tard, à la fameuse manifestation pour McGill français. On s'est revus deux ou trois fois dans les jours qui ont suivi. Tu m'as raconté tes voyages autour du monde. Je te trouvais très chanceux.

Puisqu'on avait l'habitude de le faire au début des années cinquante, je trouve normal, non, pas normal... nécessaire !... de reprendre là où on a laissé. Je n'attendrai pas que le hasard nous réunisse de nouveau en 2007 devant une université ou un CHSLD.

Le 6 décembre, tu as prononcé, juste avant de partir, des paroles qui m'ont brusquement ramené quarante ans en arrière. Tu as dit à ta fille : « Arrête de pleurer, Minou, c'est fini là ! » Je suis incapable, depuis ce temps-là, de penser à autre chose. Je t'en supplie, viens à mon secours.

Tu te souviens de la ruelle de la rue Saint-Gérard ? Tu te souviens de la petite fille qu'on appelait Minou ? C'est pour ça que je t'écris. Pour te parler d'elle. Tu viens de jeter du bois sec sur la braise, alors ça s'est remis à flamber dans ma tête. Son vrai nom, c'était Micheline. Ta fille porte le même prénom, dis-moi qu'il s'agit d'une simple coïncidence. Ça peut bien faire quarante ans, mais pour moi c'est hier.

J'espère que tu vas me répondre.

Jean-Luc

• 2 •

Burlington, 14 mars 1990

Jean-Luc,

Si je te réponds, c'est après y avoir beaucoup réfléchi. On pourrait même dire que ça fait quelques années que l'idée de communiquer avec toi me traverse l'esprit.

Une chose est certaine, ne mêle surtout pas ma fille à ça ! Ni mon fils. Parce que j'ai aussi un garçon. D'un autre « lit », comme on disait à l'époque, illégitime, lui aussi, mais que je ne vois jamais. De toute façon, sa mère m'en veut encore et réclame une pension alimentaire qu'il m'est impossible de lui verser. Alors, je me tiens loin.

Donc, c'est entendu ? Ne contacte plus jamais Micheline et ne la sollicite en rien. Elle ne doit pas être mise en danger ou impliquée de quelque façon que ce soit. Elle m'est si précieuse, si chère, la plus belle chose que j'aie réalisée dans ma vie.

À l'annonce d'un incident à Polytechnique, j'étais dans ma voiture à quelques rues de là. Je me suis précipité en me répétant comme une incantation : « Pas elle !, pas elle !, pas elle ! » parsemé de quelques sacres, bien entendu. Tu ne peux pas imaginer ma joie lorsqu'elle est sortie sur Decelles. Elle pleurait, elle avait du mal à respirer, elle criait des noms de filles qui, on l'a appris plus tard, avaient été victimes de ce demeuré à la con. Je me demande bien pourquoi mes boss n'ont jamais pensé à un personnage semblable dans l'arène, il attirerait beaucoup de femmes en mal de revanche. Imagine-le, en salopettes, une bretelle détachée et pendouillante, un *shotgun* à l'épaule, une poule tenue par le cou dans la main droite. Très symbolique...

Voilà, tu as compris. Depuis que j'ai quitté les études, les métiers minables se sont succédés. J'ai travaillé comme plongeur, au début, puis serveur, gérant dans des diners tous plus insalubres les uns que les autres, dans des restaurants plus chics, mais je n'aimais pas la clientèle pincée, prétentieuse. J'ai aussi fait du théâtre. Maquillé, j'étais méconnaissable. J'ai suivi des cours de scénarisation aux États-Unis dans des petits collèges inconnus et j'ai abouti, finalement, dans des organisations professionnelles de lutte, le « catch » disent les Français. J'ai écrit pour eux, il faut bien raconter des histoires, et j'ai performé. Toujours des rôles de second plan, de faire-valoir. Que veux-tu, le gars a beau être en forme, il est gras, trop pour être aussi souple que ses collègues. En somme, j'ai quitté Montréal et je crains d'y revenir. Parfois, j'y passe, mais seulement en transit, voir ma Micheline et personne d'autre. L'anonymat.

Dans ta lettre, tu parles de Minou. Je sais qu'elle s'appelait Micheline. Michelina pour être plus exact, d'extraction italienne. Il n'y en avait pas beaucoup de *wops* dans le quartier, surtout pas après la guerre. Ils essayaient bien de cacher leurs origines en ne parlant à personne, mais avec Minou on jouait dans la ruelle (elle était la seule fille du groupe). Les autres préféraient les poupées et le thé sur le balcon aux activités sérieuses comme *kick-la-canne*, le drapeau ou le ballon-chasseur. Tu avais un faible pour elle. Ça te mettait tellement en colère quand je te taquinais. Je me souviens combien tu t'es fâché lorsque j'ai gravé un cœur dans la clôture avec les initiales JL + MM. Penses-y, à onze ans, tu étais déjà en amour...

En ce qui a trait à Micheline, Michelina, Minou, je sais seulement qu'elle a disparu après mon départ pour NDG et que sa famille a déménagé. Quelques mois plus tard, ma mère m'a montré un article de journal qui faisait allusion à un torse de jeune fille trouvé dans un boisé. Elle m'a dit : « C'est près de là qu'on restait, vas-y plus jamais ! C'est dangereux. On sait pas qui court les ruelles ». Je lui ai répondu que je voulais continuer de te voir, mais elle a insisté, affirmant que cette ruelle-là était la pire de toutes, pleine de communistes, de *crackpots*, d'enfants cruels.

Je parle de tout ça aujourd'hui et les frissons me parcourent le dos. Tenons-nous-en à ça pour le moment.

Écris-moi à la boîte postale 441 de la succursale Snowdon, 4944 boul. Décarie, H3X 2H0. Je te répondrai d'où que je sois au Québec, au Canada, aux États-Unis, ou ailleurs dans le monde en acheminant ma lettre dans une autre enveloppe. Quelqu'un de Montréal la récupérera et te la fera parvenir, toujours avec une oblitération de Montréal, mais provenant d'un univers différent. Ça prendra du temps, mais : *Take it or leave it !* Surtout, ne mêle pas ma fille à ça.

RD

• 3 •

Montréal, le 26 mars 1990

Mon cher Robert,

Je commençais à désespérer. Ta lettre du 16 mars est arrivée hier. J'étais en train de t'écrire, mais je crois comprendre que j'aurais commis une erreur impardonnable en faisant de nouveau appel aux services de ta fille.

La personne que tu charges de distribuer ton courrier n'est « pas vite sur ses patins », mais c'est ça qui est ça. L'important, c'est qu'à partir de maintenant, on va pouvoir communiquer. J'y mettrai le temps qu'il faut.

Quelque chose m'intrigue. Tu parles d'un danger. Tu ne veux pas que je la mêle à « ça ! ». Quoi « ça » ? La question que je te posais à propos de Minou ? En quoi cela pourrait-il menacer ta fille ? Fuis-tu Montréal seulement pour éviter de payer une pension alimentaire ? Quel lien y a-t-il entre cette histoire de pension et le rôle d'intermédiaire que ta fille pourrait jouer ? Tu es bien mystérieux, mais ne t'en fais pas : je vais suivre tes ordres. Comme je le faisais dans le temps. Car neuf fois sur dix, c'est toi qui décidais, moi qui obéissais. Il fallait toujours qu'on joue à TES jeux. Ce n'est pas un reproche. On a le caractère qu'on a et j'ai l'impression que les nôtres n'ont pas changé. Ma femme répète souvent que je suis un « suiveux ». Mais elle est bien contente de le siphonner, l'argent du « suiveux », quand elle rate ses ventes. Elle est agente immobilière, ma femme, immobilière, mais très bougeante. Et moi, je suis… simple comptable. Non, je ne suis pas devenu écrivain, comme j'en rêvais quand j'étais jeune. Mais je ne te raconterai pas ma vie maintenant. Ma lettre serait beaucoup trop longue et ennuyante. D'ailleurs, ma vie est ennuyante. Elle l'a toujours été.

Tu écris à la main. C'est pas un reproche, ton écriture est assez lisible, mais est-ce que ça veut dire que tu n'as pas de machine à écrire ou de traitement de texte ? Tu vas croire que je me livre à un véritable interrogatoire. Attends la vraie question ! J'ai relu ta lettre une vingtaine de fois, et je la trouve toujours pleine de surprises. Des choses qui ne m'avaient pas étonné à la première lecture me semblent tout à fait bizarres quand j'y reviens. Tu dis être passé par hasard près de l'École Polytechnique. J'ai beau croire aux coïncidences, celle-là me paraît invraisemblable. À l'heure où tu es arrivé sur Decelles, on ne savait pas encore que Lépine ne visait que les filles, ni qu'il n'y avait qu'un seul tireur. C'est pourquoi la police a attendu si longtemps avant d'entrer dans la bâtisse. On a finalement appris, beaucoup plus tard dans la soirée, ou seulement le lendemain matin, que quatorze filles avaient été assassinées. En fin de compte, tu avais raison d'être inquiet.

Je ne voulais pas t'en parler, mais il faut que je me vide le cœur. Ce que tu écris à propos du tueur « qui attirerait des femmes en mal de revanche » est très proche de la vérité. Depuis le 6 décembre, il n'y a pas une journée où je ne me fais regarder de travers. DANS MA PROPRE MAISON ! Tu sais ce que ma femme a dit après avoir appris ce qui s'était passé ? « J'espère que t'as honte d'être un homme ! » DEVANT MA FILLE ! Ma fille qui était déjà très bouleversée et qui ne me regarde plus de la même façon depuis ce jour-là. Celui qui y goûte le plus, c'est mon fils. Ma femme ne se rend pas compte, à moins qu'elle ne le fasse exprès, qu'en déblatérant contre les hommes, c'est son propre fils qu'elle rabaisse. Lui, ou bien il rue dans les brancards ou bien il va se cacher. Tu vois l'atmosphère qui règne dans la cabane ?

Les temps ont changé, mais pas ceux qui les ont traversés. Les personnages vivants ressemblent tellement aux personnages morts que c'en est hallucinant. Aujourd'hui, je lis partout que je suis responsable du crime de Marc Lépine ; à l'époque, c'était pareil : mes parents me blâmaient. La disparition de Minou, c'est devenu de ma faute !

Ce soir-là, j'étais retourné dans la ruelle sans permission. Sans permission et sans dessein, comme disait mon père. Je me suis retrouvé seul. Personne avec qui jouer. Même les Picard étaient enfermés chez eux. Tout à coup, Minou est apparue. Elle portait sa robe fleurie et son chandail rose, celui avec les petits chatons. On a jasé cinq minutes, mais comme on n'avait pas grand-chose à se dire, tout ce qui me retenait dehors, c'était mon orgueil. Pas question de laisser une fille toute seule à la noirceur dans une ruelle ! Un hurlement m'a sauvé : « Jean-Luc, viens faire tes devoirs ! ». C'était ma mère. Rouge de honte, j'ai abandonné Minou à son sort. Elle n'est pas rentrée chez elle et quelques heures plus tard, ses parents ont signalé sa disparition. Je ne l'ai jamais revue. Au mois de mars 1951, on a retrouvé une partie de son corps — c'est atroce d'écrire ça — dans le « petit bois Saint-Hubert », de l'autre côté du boulevard Crémazie.

J'ai subi un véritable procès. Je n'étais pas sorti par hasard. Minou et moi, on s'était donné rendez-vous. Je l'avais lâchement abandonnée au lieu de l'accompagner chez elle. J'étais un menteur ! Une honte pour la famille ! Comme le sont pour la race des mâles, disent les féministes, les garçons de Polytechnique qui se sont enfuis comme des lâches plutôt que de protéger les filles !

Tout ce déballage pour en arriver à la question principale. Dans ta dernière lettre, celle du 6 décembre 1952, tu as écrit, et je cite tout en corrigeant les fautes d'orthographe : « Je le sais, ce qui est arrivé à Minou. Je le sais, c'est qui le meurtrier. »

Ma question est simple. Dis-moi ce que tu sais. Qu'est-il arrivé à Michelina ? Qui l'a tuée et découpée en morceaux ?

Avec toute mon amitié,

Jean-Luc

• 4 •

Boston, 2 avril 1990

Hey ! Pour qui tu te prends, Sherlock ?

Tu m'écris, je te réponds et tout ce que tu trouves à faire, c'est des reproches, des accusations. Tout ce que tu as à raconter, c'est tes malheurs personnels et familiaux.

Premièrement, si tu n'es pas content de la gentillesse de l'ami qui se prête à tes jeux, va te faire foutre ! Ça ne changera pas ! Si tu n'aimes pas ma calligraphie, sache que je ne veux pas être retrouvé par un de ces nouveaux maîtres du monde, ceux qui épient les lignes téléphoniques ou retracent les messages ou lisent dans les pensées. « Parano ! », diras-tu ? Pas plus que toi qui t'imagines être accusé d'avoir tué ces filles à Polytechnique ou qui te sens volé par ta propre femme !

Ta « vie est ennuyante et elle l'a toujours été », écris-tu. Alors qu'est-ce que tu fais ? Tu inventes des histoires, des mystères, des jeux de domination alors que nous étions dix ou douze à jouer. Quand j'écris « lutteur », tu penses tueur. Tu crois que ton fils « va se cacher » quand il va probablement seulement se « coucher »... C'est triste.

Ah ! Je te le dis : « C'est pas un reproche ! », comme tu l'écris au moins deux fois et le laisse sous-entendre encore plus.

Tu es tout mélangé. Le corps tronqué n'a jamais été identifié, ce n'est peut-être même pas Michelina ! Tout ce que je sais, c'est que ses propres parents sont disparus peu de temps après.

Puis, tant qu'à délirer, pourquoi ça ne serait pas toi le meurtrier ? Tu es mon deuxième choix.

Face à ton arrogance, je me demande si j'ai bien fait de te répondre. J'ai bien d'autres chats à fouetter.

RD

• 5 •

Montréal, le 12 avril 1990

Salut Robert,

Ta lettre du 2 avril m'a causé tout un choc. Je suis passé à deux doigts de l'infarctus. Non, je ne blague pas. On m'a fait quatre pontages il y a trois ans, mais le problème n'est pas complètement réglé et il ne le sera jamais. On m'a prescrit un régime sévère et j'avale un tas de pilules pour contrôler ma pression et mon taux de cholestérol. J'ai cessé de fumer, je fais un peu d'exercice, mais je suis loin d'être en forme. C'est que, côté cœur et circulation, je n'ai pas hérité de très bons gènes. Mon père est mort d'une insuffisance cardiaque à 58 ans. Il avait eu sa première crise à quarante-deux. Mon frère Raymond, qui a trois ans de moins que moi, fait des crises d'angine. Et je ne parle pas de mes cousins, de mes oncles ni de mes grands-parents. Tu vas dire que je te raconte encore mes malheurs personnels et familiaux et que tu n'en as rien à foutre, mais crois-moi, je ne le fais pas pour être pris en pitié, mais pour te donner l'heure juste. Le temps presse. Il y a des questions auxquelles je veux des réponses avant de crever.

C'est dire que ta lettre m'a mis dans tous mes états. J'ai relu la mienne plusieurs fois. Je n'ai toujours pas compris ce qui a pu te mettre dans une telle colère. Je te fais quand même mes excuses. Il ne me revient pas de décider de ce qui te plaît ou te déplaît.

Je ne veux pas avoir l'air d'insister, mais ce que j'écrivais à propos de Polytechnique et des réactions de certaines femmes (et de la mienne en particulier) n'est pas le fruit de mon imagination. Tu te trouves actuellement hors du Québec, il est donc normal que tu ne sois pas au courant des bêtises qui se publient dans nos journaux ou se disent sur nos ondes. Il en ressort que tout ce que le trou du cul à Lépine a réussi (en plus de faire quatorze victimes innocentes), c'est de confirmer ce que les idéologues féministes savaient déjà et nous répétaient depuis des années. Leurs conclusions étaient tirées d'avance. Lépine leur a gracieusement fait cadeau de la preuve qu'elles attendaient : on est tous des écœurants ! Surtout nous, les hommes québécois, car il paraît qu'on est la région au monde où il y a le plus haut taux de femmes battues par tête de pipe. La tête de pipe, la tête de lard, c'est moi ! Et je ne blâme pas les féministes pour ça. J'ai été élevé par une mère qui ne savait même pas que le mot « féminisme » existait. Elle a quand même réussi à faire de son fils un *suiveux*, une larve. C'est dit, je ne reviendrai plus sur cette triste réalité. Je m'accepte comme je suis, amen !

Tu écris qu'en ce qui concerne le meurtre de Michelina, j'étais ton deuxième suspect. Celle-là, je l'ai trouvée bien bonne. Moi, c'est le premier qui m'intéresse. Ta méchante blague confirme que j'ai été très maladroit et que tu ne voudras rien me révéler de ce que tu sais si je ne vide pas d'abord mon sac.

Je ne me fie pas qu'à ma faible mémoire, je fais des recherches à la Bibliothèque municipale de Montréal, qui conserve des microfilms d'à peu près tous les journaux publiés au Québec ou au Canada, voire même aux États-Unis, depuis l'invention de l'imprimerie. À cause de mes contrats de comptabilité, qui prennent presque tout mon temps, je ne peux passer mes journées à la bibliothèque, mais je m'y rends quelques heures par semaine à intervalles irréguliers. C'est pénible, mais j'avance.

Allô Police n'existait pas encore en 1950. Je décortique donc tout ce qui s'est écrit à l'époque dans Montréal-Matin sur la disparition et le meurtre de Michelina Martucci. Ce journal-là était d'une platitude totale, mais les faits divers y étaient traités avec une certaine minutie. Lors de ma dernière visite, j'ai lu les articles parus en mars et avril 1951 à propos du torse retrouvé dans le petit bois Saint-Hubert. Il n'a jamais été identifié de manière certaine, mais la police a conclu que ce devait être celui de Michelina. C'est d'ailleurs ce que tout le monde disait. Mais est-ce que l'enquête a été bien faite ?

La police est venue questionner mes parents, comme elle l'a fait avec tous les gens du voisinage. Et comme j'avais apparemment été le dernier, avant le meurtrier, à voir Minou vivante, on m'a interrogé aussi. L'inspecteur à qui j'ai parlé était un homme très grand et très costaud, avec une grosse voix. Mais pas une brute. Il a été très gentil avec moi. Tout ce que je dis là, je te l'ai déjà raconté dans mes lettres de jeunesse. Les as-tu gardées ?

Tu dois te demander pourquoi je remue ce passé sordide et pourquoi j'insiste pour que tu replonges avec moi dans l'horreur. J'aimerais pouvoir te le dire maintenant, mais, ne te moque pas, ça me gêne. La prochaine fois, peut-être... Tu vas sûrement me trouver ridicule. Je ne te dis pas aujourd'hui toute la vérité, mais sois assuré que le peu que je te dis est entièrement vrai.

Jean-Luc

• 6 •

Pittsburgh, 22 avril

Heureux de te retrouver Jean-Luc, la personnalité de Sherlock n'avait rien de plaisant !

Moi aussi, j'ai relu ta lettre à plusieurs reprises et cette fois-ci ta fébrilité m'était plus acceptable. Dans mon métier, la confrontation n'a de réponse que l'agression et, encore là, elle est feinte, orchestrée, scénarisée. J'ai beau faire partie du merveilleux monde de la lutte, moi et mes collègues ne voyons le combat que dans un contexte théâtral, planifié, mis en scène. Une réaction comme la tienne n'a jamais sa place et si, par mégarde, l'un des nôtres a des comptes à régler, il est rapidement rappelé à l'ordre.

Je suis désolé de ta condition. Ta santé est en jeu. Ta dernière lettre témoigne d'une montée de pression inquiétante. Tu avais plus de chance d'y laisser ta peau en l'écrivant qu'en lisant ma réponse.

Je vois deux problèmes : le meurtrier de la fille trouvée dans le petit bois Saint-Hubert (je ne crois toujours pas que ce tronc soit celui de Michelina, malgré tes convictions) et les vrais motifs qui t'habitent.

Je sais bien que tu n'as rien eu à faire avec la disparition de Minou. Ce soir-là, j'étais en visite chez ma tante, qui demeure sur Guizot, et je m'apprêtais à aller te saluer lorsque je t'ai vu avec Minou. J'ai entendu la voix tonitruante de ta mère t'ordonner d'aller faire tes exercices de maths. Elle m'avait déjà chassé quand j'étais passé un soir que tu étais chez les louveteaux. Je n'osais pas te déranger pendant tes devoirs. Je sais que Michelina n'est pas restée avec toi et que tu n'es pas le deuxième suspect. Après sa disparition, je n'avais plus le courage de retourner sur « les lieux du crime ».

Ce soir-là, j'ai eu très peur. Je ne veux pas en parler. Suffit-il de dire que j'ai vu quelque chose d'inquiétant et que je crois avoir été vu. Mes années de jeunesse n'ont plus jamais été les mêmes. Finies l'innocence, la bravoure, l'attitude intrépide de l'adolescent prêt à traverser la ville pour retrouver ses anciens amis. Non, plutôt le trou, la fuite et tout. À ce jour, j'en ai encore des frissons et Dieu sait si ce n'est pas la raison pour laquelle je parcours le monde, sans domicile fixe. On s'en reparlera peut-être un jour…

J'en viens enfin à ma deuxième inquiétude : quels sont tes VRAIS motifs ? Peux-tu en parler ? Cette correspondance pourrait, finalement, servir à quelque chose.

Robert

• 7 •

Montréal, le 10 mai 1990

Mon cher Robert,

Ta dernière lettre m'apprend que la disparition et la mort atroce de Michelina t'ont profondément marqué. Toute ta vie en a été transformée, je ne peux en dire autant.

Avant notre rencontre du 6 décembre, il m'arrivait de repenser à cette histoire tragique, mais sans état d'âme. Je ne suis pas un être très émotif, ce qui fait dire à ma femme que je suis un homme gris. Elle préférerait que je sois plus démonstratif, mais en suivant le mode d'emploi et la mise en scène qu'elle m'imposerait. Les femmes se plaignent que les hommes n'expriment pas leurs émotions, mais dès que nous le faisons, elles prennent la mouche et nous accusent de parler trop fort ou de brasser trop d'air. Comment un homme devrait-il manifester sa colère ? En susurrant d'une voix douce « Chérie, je suis très en colère aujourd'hui » ? Complètement ridicule ! Pas question qu'il puisse hausser le ton ou claquer les portes, madame signalerait aussitôt le 911. Aucune de ces deux formes d'expression, les mièvreries ou les éclats, n'étant dans ma nature ou dans ma culture, ma colère, je la vis à ma façon, c'est-à-dire dans les limites de ma modeste carcasse. Quand je suis trois jours sans lui adresser la parole, ma femme finit par comprendre que je suis tourmenté par une émotion forte, de la rage, dans certains cas. Mon silence ne fait pas son affaire, bien sûr. Tant pis pour sa gueule ! Qu'elle aille se faire foutre ! Ce qu'elle fait sûrement, mais je ne veux pas le savoir.

Je reviens à mes oignons. Quand tu as prononcé le mot Minou, dans les circonstances dramatiques que tu sais, mes yeux se sont rouverts, ma carapace est tombée en pièces.

Tu te rappelles pourquoi nous l'appelions Minou ? Moi, oui. Le 6 décembre, tes paroles m'ont replongé dans le bain. J'en ai éprouvé, cette journée-là, des émotions fortes. Je parle de cet après-midi du mois d'août 1949 où nous avons participé à la torture d'un chat dans la cour des Picard. J'ai des frissons rien que d'y penser. C'est le plus vieux des Picard, j'ai oublié son prénom, qui officiait à la cérémonie. Il avait quinze ans, moi j'en avais dix et toi, neuf. Il y avait ses cinq frères aussi, même le plus petit, de deux ou trois ans. Le chat, un jeune chat, était pendu à un arbre par les pattes d'en arrière, on le piquait à tour de rôle avec un bout de branche. J'entends encore les cris. Il me semble que la scène a duré des heures, mais, en réalité, je n'ai pas dû me trouver là plus que deux minutes. Une telle horreur ne pouvait pas s'éterniser. Un adulte devait intervenir tôt ou tard. La mère Picard a d'ailleurs fini par s'en mêler quand le feu a éclaté. Picard avait tout prévu. Le chat se balançait au bout de sa corde en se démenant comme un démon, mais il ne parvenait pas à s'agripper à la clôture ou au tronc d'arbre. Michelina est entrée dans la cour au moment précis où l'aîné des Picard aspergeait le chat avec de l'essence. C'est son frère de huit ans qui a frotté l'allumette et qui l'a lancée. L'indescriptible scène qui a suivi s'est déroulée plus vite qu'il ne me faut de temps pour l'écrire et toi, pour le lire.

Michelina a poussé un cri épouvantable et s'est précipitée vers le chat, qui venait de s'enflammer. Tu as fait un pas vers elle, le plus vieux des Picard t'a flanqué une mornifle. Le chat flambait, la marmaille hurlait en courant dans tous les sens. Picard jappait des ordres que personne n'écoutait. Toute la ruelle s'en mêlait. Un branle-bas incroyable. Michelina est ressortie en courant, avec moi à ses trousses. Je devais brailler autant qu'elle. Tu nous as suivis et, dans une sorte de chuchotement, comme si ça avait été une nouvelle trop terrible pour être annoncée à voix haute, tu as dit : « Le chat s'est détaché ! ». Michelina nous a mis sous les yeux ses mains brûlées, pleines de sang. Le chat l'avait griffée et mordue ! Toi, tu saignais du nez. Elle a couru chez elle, on l'a suivie. Derrière nous, la porte de la cour des Picard s'est refermée brutalement. La bonne femme hurlait comme une folle et distribuait des taloches. J'imagine la volée qu'ils ont dû manger quand le bonhomme est revenu de l'ouvrage.

À l'exception des trois plus jeunes, on n'a pas revu les Picard pendant deux semaines. Ils ne sont réapparus qu'à la rentrée scolaire. Sauf le plus âgé, qui s'est retrouvé à l'École de réforme. En tout cas, c'est ce que ma mère disait. Tiens, son petit nom me revient... Marcel !

Nos relations avec Michelina ont changé à partir de ce jour-là. Sa mère nous a pris en sympathie. Quand Michelina sortait dans la ruelle, pas assez souvent à notre goût, elle avait la permission de jouer avec nous, mais pas avec les autres garçons. Parfois, elle s'amusait avec ma grande sœur, Marie-Hélène, mais la différence d'âge était trop grande. Michelina aimait mieux les jeux de gars que les jeux de filles. Elle était vraiment spéciale.

Nous sommes donc devenus ses protecteurs, ses gardes du corps. Les Picard s'étaient mis à l'appeler Minou pour se moquer. D'autres petits crétins du voisinage suivaient leur exemple. Une fois, je me suis battu pour elle dans la cour de l'école Saint-Gérard avec un des Picard, celui qui avait mon âge. Officiellement, c'était une chicane pour des billes, des smokes, comme on disait dans ce temps-là. Il m'en avait chipés cinq. Quand je lui ai ordonné de me les remettre, il m'a répondu d'un ton méprisant : « Tu veux t'batt'e, Minou ? ». Je lui ai sauté dessus. Je n'ai pas eu l'avantage dans la bataille, mais je l'ai fait saigner du nez. J'étais pas mal fier de moi. Ma mère l'était moins, mais ça, c'est une autre histoire. En réalité, je ne m'étais pas battu pour sauver l'honneur de Michelina, mais surtout pour récupérer mes billes. Je me suis quand même vanté de mon exploit auprès de Minou, qui ignorait que toi et moi, nous lui donnions le même surnom, mais sur un tout autre ton, et entre nous, sans aucune intention de l'offenser. Souviens-toi, nous avions juré craché de ne jamais lui révéler notre secret, qu'elle a fini par apprendre quelques semaines avant sa disparition.

On jouait à la cachette. En courant pour toucher le but avant toi, elle est tombée sur les genoux. Elle nous a regardés avec ses grands yeux, puis s'est mise à pleurer, mais comme à regret, comme s'il était honteux pour une fillette de dix ans de verser des larmes. Alors, tu as tendu la main et tu as dit d'une voix très douce : « Arrête de pleurer, Minou, c'est fini là ! ». Et plutôt que de se fâcher — parce que, de se faire appeler Minou, c'était une insulte, une insulte et une humiliation — elle a pris ta main pour que tu l'aides à se relever. Ses genoux étaient en sang. J'ai été pris d'une furieuse envie de te frapper, mon maudit ! Alors, comme nous l'avions fait quelques mois auparavant, nous l'avons raccompagnée chez elle au coin de la ruelle, jusque sur le balcon du deuxième étage. Nous lui tenions la main, tous les deux, car moi aussi, finalement, j'avais osé. La porte s'est ouverte, sa mère est apparue. C'était une femme assez grande à l'air sévère, mais très gentille. Elle nous a laissés entrer et nous a servi des carrés de *Rice Krispies*.

Je te raconte tout ça et j'en tremble presque. Excuse-moi si je m'arrête ici aujourd'hui, mais je suis incapable de poursuivre. Une autre lettre suivra peut-être avant que celle-ci te parvienne. Je la mets à la poste immédiatement, sinon je finirais par la détruire. Te l'envoyer est une manière de m'en débarrasser qui sera plus féconde que de la jeter au feu.

Jean-Luc

P.-S. — Tu te souviens qu'après la scène du bûcher, toi et moi, on parlait plus souvent du chat que de Michelina, plus souvent du minou que de Minou. Il avait complètement disparu, le minou. Sans doute est-il allé se réfugier sous une galerie ou dans un hangar. Il n'a pas dû survivre bien longtemps à ses blessures. Pauvre bête, ce qu'elle a dû souffrir ! J'aime les chats, mais jamais je n'ai voulu en avoir un à la maison. Ma femme et mes enfants me trouvent très rabat-joie. Toi qui connais mes raisons, je suis sûr que tu me comprends.

• 8 •

Montréal, 19 mai

Je piétine. Ma lettre est datée du 19, mais j'en suis à la dixième version depuis une semaine. Je ne suis pas un écrivain qui manque d'inspiration, j'affirme que j'en ai trop. Le sac que j'ai commencé à vider est encore aux trois quarts plein, mais je ne sais comment m'y prendre pour atteindre le fond. Peut-être que j'ai pété une coche dans ma dernière lettre. Je me relis (je conserve toujours une copie de mes lettres, c'est d'ailleurs ce que j'aurais dû faire avec celles que je t'écrivais entre 1950 et 1952), et je me demande ce qui m'a pris. Jeter mes tripes sur la table, c'est pourtant pas dans mon tempérament. Peut-être que cette histoire de chat n'était pas si dramatique après tout… Je suis une marmite sous pression, c'est très mauvais pour mon cœur. Je m'assois devant mon petit écran, je pose les doigts sur mon clavier, j'entre en transe. Ce soir, ça va un peu mieux, j'arrive au bout du premier paragraphe sans être pris de la tentation de tout effacer.

J'ai aussi une meilleure excuse pour mon cafouillage : mes contrats en retard. Je fais des bilans pour des organismes culturels qui préparent leurs assemblées générales et leurs demandes de subventions. Tout le monde me tire à hue et à dia. Heureusement, ici, l'atmosphère est moins tendue. Ma femme revient de ses tournées avec un petit sourire un peu louche. Pas difficile de deviner la raison. Elle ne se conduit plus en mal baisée, mais je ne peux pas prétendre que c'est grâce à moi. Ma fille, Nathalie, a beaucoup de caractère, malgré ce qui est arrivé à Polytechnique, elle va terminer sa première année avec de très bonnes notes. Quant à Éric, il prend de la maturité : moins de musique à tue-tête, moins de colères, moins de confrontations. On a trouvé une clinique spécialisée pour soigner son acné, je pense qu'il se sent un peu mieux dans sa peau (!). J'espère qu'il va rencontrer une fille. Ça va l'obliger à faire le ménage de sa chambre.

Je te disais que c'est seulement depuis notre rencontre du 6 décembre que les souvenirs de notre enfance me font l'effet d'un raz-de-marée. Voilà ce qui m'a poussé à t'écrire, à faire des recherches et aussi à contacter ma sœur, que tu as très bien connue et qui jouait parfois avec Michelina. On se voit deux fois par année. Nous nous entendons très bien, mais elle demeure à Sherbrooke. Ne te moque pas ! Pour toi, Sherbrooke, c'est la porte d'à côté, mais moi, je ne suis pas très « sorteux » et ma sœur non plus. Donc, j'essaie d'organiser une rencontre.

Pourquoi tous ces efforts, hein ? Pourquoi ? À quoi bon ? Disons qu'une terrible injustice a été commise il y a quarante ans, que je dois réparer, mais sans savoir exactement comment m'y prendre.

Je perds le fil de mes idées. Il vaut mieux que j'en reste là pour ce soir. Souhaite-moi de bien dormir. Depuis quelque temps, je ne fais que de mauvais rêves.

Jean-Luc

P.-S. — J'ai oublié de te dire que demain, si je me sens en forme, je vais retourner sur les lieux. Je n'ai pas remis les pieds à cet endroit depuis que ma mère a déménagé en 1963, après la mort de mon père.

• 9 •

Chicago, 22 mai 1990

Salut,

Cette correspondance commence à me plaire, même si je n'écris pas autant que toi. Ta dernière lettre a éveillé beaucoup de souvenirs en moi.

Depuis mon enfance, j'ai tendance à effacer le passé. Trois ans, pas plus, après, j'oublie. Ce n'est pas une maladie, seulement une façon de me protéger des événements déplaisants. Bien entendu, quand je me force, ça rapplique. Il y a des moments agréables, de bonnes choses. Et encore. Ça aussi, c'est enfoui dans les replis du cerveau. Il est certain, cependant, que certains épisodes marquants ne me quittent jamais, même si j'aimerais qu'ils s'effacent pour de bon. Ils me hantent et m'habitent, au point de conditionner mon comportement. On en reparlera quand j'aurai réussi à dompter ma peur.

Les Picard ! Dieu sait que j'ai essayé de les oublier. Quelle gang de bandits ! Des enfants cruels, méchants, pas dans le sens des « méchants » à la TV, mais dans celui de la perversité même. Ces gens-là étaient malveillants, se plaisaient à faire le mal, à nuire aux autres. L'épisode du chat n'était qu'un de leurs mauvais coups. Ils ont aussi torturé des chiens et des oiseaux. Ils capturaient leurs proies avec un filet à pêche — ils étaient habiles — et leur mettaient une corde à la patte, qu'ils fixaient à une branche morte plantée dans la terre, pour en attirer d'autres. Celui qu'ils ont brûlé était un tigré, d'une origine mal définie, un croisement de ruelle. Il se faufilait sous les balcons du côté de Lajeunesse, jamais du nôtre, sans doute parce qu'il craignait le terrain des Picard. Il y avait là des relents de torture et de cruauté qu'il fallait fuir. J'ai déjà vu ce minou-là dans une cour de la ruelle voisine, sur une terrasse. C'était le chat de madame Gauvin. J'ai toujours été gêné de passer là par la suite, me sentant coupable, comme si c'était moi qui avais mis le feu à son matou. J'ai tendance à me blâmer pour ce que font les autres. J'absorbe leurs mauvais coups comme une éponge.

Les Picard ! Tu sembles convaincu que leur père les aurait battus. Au contraire, ce vieux débile prenait plaisir à leurs actes. Ces kids-là étaient jeunes, ils devaient avoir appris ces comportements quelque part. On a beau penser que les enfants plus âgés forment les plus jeunes, les plus influents sont les parents. Moi, je me rappelle même que la bonne femme était plus inquiète pour son balcon que pour le chaton. Elle avait peur que ses enfants mettent le feu à la galerie. C'est tout ! Une salope, elle aussi ! J'ai même vu la mémé dans sa chaise roulante à travers la fenêtre. Elle riait tout plein. Tous des fous. As-tu déjà compris pourquoi ces enfants-là se promenaient toujours en groupe, comme une meute, un essaim ? Des coquerelles !

C'était étrange de voir cohabiter ces créatures aussi déplaisantes avec des gens ordinaires comme nous — même si je doute parfois de la normalité de mes propres parents : ma mère comptable, mon père voyageur de commerce. Une sédentaire et un nomade, avec tout ce que ça implique. Ton père et ta mère, qui étaient du bon monde. Ou encore, madame Martucci, la mère de Michelina, qui était très fine, douce et odoriférante. Il émanait de chez elle des parfums de pains, de biscuits, de sauces aux tomates et d'ail. Toujours de l'ail ! Ma mère pensait qu'elle devait en mettre partout, même sur ses toasts, tellement ça envahissait la ruelle. On n'était pas habitués à ce type de cuisine, qui, pour nous, était seulement « ethnique », pour ne pas dire « étrange ». J'étais séduit par ces arômes.

À mon passage en Italie, l'année dernière, j'ai retrouvé ces odeurs envoûtantes. Je finissais un match contre le Gros Grégoire et on cherchait un endroit où souper. Dans une petite rue, au tournant d'un coin, j'ai été envahi de ces arômes précis qui me remplissaient la tête dans la ruelle de mon enfance. Elles émanaient d'une fenêtre du deuxième étage d'un vieil édifice de la place. Les odeurs étaient tellement poignantes que j'ai pensé, un instant, que Michelina surgirait d'une porte dérobée. Parce que toi, tu la crois morte, mais moi, je la sens vivante. Je n'ai rien vu dans les journaux me prouvant son décès. Le torse trouvé dans le parc n'a jamais été identifié. Comme tu es plus souvent à Montréal que moi, tu pourrais t'occuper de ça ?

Si les gens de la rue étaient généralement sympathiques, je me souviens que les Picard n'étaient pas les seuls *crackpots* de la place. Dans le fond, il y a toutes sortes de phénomènes dans la vie et, dans certains cas, il faut se tenir loin de ceux qui dégagent une odeur de fin du monde. Comme les Picard.

Robert

• 10 •

St-Louis, 15 juin 1990

Salut JL,

Depuis ma lettre du 22 mai, j'ai peu travaillé. À Chicago, je me suis fait plâtrer par un monstre du Mexique, un typique de la Lucha Libre, masqué et tout. Il faisait son entrée dans notre circuit et il fallait une victime pour sa venue aux États. Comme je n'ai pas beaucoup d'importance dans l'organisation, ils m'ont désigné comme faire-valoir. Rien n'empêche que je devrais participer à une tournée mondiale bientôt (à l'étranger, ils se servent de lutteurs comme moi ou de gens de la place : les locaux prennent pour les locaux). Je t'informerai de l'odyssée quand tout se sera concrétisé parce que ça jouera sur les expéditions de courrier.

Comme ça, tu es retourné sur Saint-Gérard. Quel bonheur ! Mais c'est bien toi ça. Toujours mièvre, gentillet, soupçonneux. Comme si de revoir les lieux allait changer la réalité ! Réveille ! Cette ruelle était déprimante, sèche, dangereuse ! Ma mère avait raison, malgré sa paranoïa perpétuelle : des *crackpots*, des malades. Les Picard, surtout, et le fou du troisième : l'Homme au Masque à Gaz ! Il faut le faire, ça ne s'invente pas. Moi, il m'a marqué à vie. Toi non plus, tu ne peux pas l'oublier, j'en suis certain. Tu as tellement pleuré quand il s'est pointé dans la ruelle le soir de l'Halloween 1949 !

Ce malade de la Deuxième Guerre mondiale demeurait au troisième étage derrière chez toi. Il devait être dans la mi-trentaine, mais avait fait du service en Italie, comme Canadien, Américain ou mercenaire, je m'en fous. Tout ce dont je me souviens, c'est qu'il était maboul. Et cicatrisé. Le visage en jachère ! Juste à le voir, les gens avaient peur. Il nous regardait tout le temps de la fenêtre de sa cuisine quand on jouait dans la cour. Il nous suivait de loin sur le chemin de l'école. On le *spottait* à travers la grille pendant nos récréations. De nos jours, on l'arrêterait pour pédophilie, mais à cette époque-là, on ne savait même pas que ça existait. Près de chez nous, il y avait des méchants, mais pas de maniaques sexuels…

Anyway, j'avais peur de lui plus que toi ! Selon ta mère, c'était un vétéran, donc un « bon ». T'as changé d'idée, le soir de l'Halloween, quand ce « bon vétéran » est apparu avec un masque à gaz, la trompe pendouillante au milieu du visage, de droite à gauche, de gauche à droite, comme un éléphant en caoutchouc, le souffle hésitant, ahanant, étouffant. Le masque ne servait pas à le protéger des odeurs de la ruelle, mais à effrayer les enfants ! Il criait : « Heuuuuh ! Heuuuuuh ! Ahrghhhhhh ! », des choses du genre, les bras en l'air au-dessus de sa tête. Il les agitait comme les monstres dans les films qu'on voyait à Saint-Alphonse le samedi.

On avait tellement peur qu'on n'osait pas rester du même côté de la rue s'il marchait vers nous. Bien entendu, il ne portait pas le masque en public tous les jours ! Seulement à l'Halloween. Pourtant, les cicatrices de son visage étaient bien suffisantes pour nous effrayer. On aurait dit que le cuir du masque l'avait balafré, marqué à perpétuité. Il avait la face labourée comme les lutteurs qui se tranchent le front pour saigner dans les matchs extrêmes. Avec le temps, les coupures deviennent des sillons, des crevasses, des gouffres. Un Grand Canyon facial !

Il y a des gens qui, lorsque tu les regardes dans les yeux, t'absorbent, te « sucent » en eux (excuse la mauvaise allusion), mais avec lui, c'étaient les cicatrices de son visage qui m'attiraient, comme les fossés à la campagne quand je marchais la nuit : inévitablement, je m'écartais de la route de terre et m'approchais du danger. C'est ça. Sa face suçait comme le vide. Un trou noir ! Christ que j'avais peur de lui !

Le fameux soir où je t'ai aperçu dans la ruelle avec Michelina, avant que ta mère t'appelle pour que tu fasses tes devoirs de math, j'ai vu l'homme dans sa fenêtre. Après que tu sois rentré, au moment où j'allais sortir de l'ombre, le plus vieux des enfants Picard, Marcel, est apparu derrière la clôture de bois séparant la ruelle de la cour du gars au masque à gaz. Il a saisi Michelina d'une main et lui a plaqué l'autre sur la bouche. Il l'a collée contre lui, le dos de notre amie contre son ventre. J'imagine qu'il était bandé et je voudrais, à ce jour, l'émasculer lentement, très lentement, avec autant de plaisir qu'il en mettait à torturer les chats et les chattes du quartier.

Il lui a fait monter l'escalier de bois menant chez le vétéran au masque à gaz.

Moi, j'ai quitté mon refuge, puis doucement, très peureusement, l'entrejambe humide, j'ai gravi les marches jusqu'à la fenêtre du capoté. J'ai levé la tête (espérant secrètement ne plus avoir de front, de cheveux ni d'oreilles) et jeté un regard à l'intérieur. Marcel était dans le coin ouest de la cuisine. Michelina était agenouillée devant l'homme au masque à gaz au centre de la pièce, la table poussée contre le mur nord. Michelina pleurait, gémissait plutôt, pendant que le fou criait à tue-tête : « ... *bitch... wop... killers... fascists...* », et cetera. Michelina, la tête baissée sur ses cuisses, braillait à fendre l'âme. Ému, j'ai bougé et mon pied a frappé la poubelle de tôle. Le Vétéran et Picard ont tourné les yeux vers la fenêtre crasseuse. Je me suis lancé dans l'escalier. Quelques secondes plus tard, des cris ont fusé : « *Get him ! Get the fucker ! Don't let him get away !* ». Quand Marcel est sorti de la cuisine, j'étais déjà rendu dans la cour. J'ai couru, comme si jamais il n'y aurait de lendemain, jusqu'à la rue Guizot. Je me suis caché sous le balcon de ma tante, en retenant ma respiration. Heureusement, il ne savait pas où elle restait. Il est passé sur le trottoir devant la maison, puis est revenu, l'air enragé. Je l'avais échappé belle, mais j'avais fait caca dans mes culottes. Ça puait ! J'ai baissé mes breatches, me suis essuyé avec mes caleçons blancs et les ai jetés dans le caniveau. Le lendemain, ma tante, en sortant les vidanges, s'est indignée en apercevant ces caleçons souillés dans la rue. « Maudite gang de cochons ! Pas capables de chier chez eux, il faut qu'ils se soulagent chez les autres ! ». Gênée d'avoir dit de si gros mots (« maudite » et « chier » n'étaient pas dans ses habitudes langagières), le visage rouge, elle a appelé mon oncle Armand pour qu'il règle (élimine) le problème (le caleçon sale).

C'est la dernière fois que j'ai vu Michelina. C'est aussi la dernière fois que je suis allé près de chez vous. J'avais trop peur de rencontrer Picard ou le vétéran au masque à gaz.

Malheureusement, nos vœux ne se réalisent pas toujours.

Robert

• 11 •

23 juin

Salut Robert,

Tes révélations me stupéfient ! Le mystère est éclairci, il n'y a plus rien à ajouter. Mais plus j'y pense, plus ça m'enrage ! Tu savais qui a enlevé et assassiné Michelina, mais tu n'as rien dit !

N'empêche que la police aurait pu arrêter les deux salauds avant qu'il soit trop tard. Michelina n'est pas rentrée chez elle après la scène abominable que tu as décrite. Peut-être ont-ils abusé d'elle pendant des jours avant de la tuer. Elle aurait pu être sauvée ! À ta place, je ne serais pas très fier.

C'est trop ignoble, dis-moi que tu as tout inventé ! Oui, tu as tout inventé ! Car quelque chose ne tourne pas rond dans ton histoire. Que tu aies vu Marcel Picard entraîner Michelina dans l'escalier, je veux bien, c'est possible, mais que tu sois monté pour regarder par la fenêtre, malgré le fait que tu chiais dans tes culottes ? Invraisemblable ! Si tu étais si brave, pourquoi n'as-tu rien dit ensuite à ta tante ou à ton oncle ?

Si tu n'as pas menti, que pouvons-nous encore espérer, sinon que les deux écœurants soient encore vivants ? Les chances sont minces. Ils ne paieront jamais pour leur crime ! Tout ça à cause de ton silence !

Quelques mises au point :

1 – Je n'ai pas encore rencontré ma sœur.

2 – Les journaux de 1950 ne mentionnent la disparition d'aucune autre petite fille de l'âge de Michelina. C'est elle qu'on a retrouvée dans le

petit bois Saint-Hubert, j'en suis de plus en plus convaincu. Ton histoire apporte de l'eau à mon moulin. Le « Masque à gaz » et Marcel Picard n'ont pas commis l'erreur de relâcher Michelina après la scène dont tu as été témoin. Si tu n'as pas menti...

3 – Oui, je suis retourné dans la ruelle de la rue Saint-Gérard, malgré le fait que je sois, comme tu dis, « mièvre, gentillet, soupçonneux ». Plutôt que de ranimer les sentiments et les émotions de mes dix ans, mon pèlerinage m'a laissé de glace. Je n'ai rien ressenti. Peut-être aurais-je réagi autrement si tu m'avais accompagné.

4 – Le « Masque à gaz » est apparu sur Saint-Gérard, pas dans la ruelle. Le portrait que tu traces est saisissant, tu ferais un bon écrivain. J'étais déguisé en cheik arabe et toi en cow-boy. Nous avons eu très peur, mais les adultes qui assistaient à la scène se bidonnaient. Un vétéran de la Seconde Guerre mondiale propriétaire d'un masque à gaz, ça me paraît étrange. À moins qu'il ait aussi combattu en 14-18. Peu probable.

5 – Ta mère était comptable ? J'avais complètement oublié ce détail. Merci de me le rappeler.

6 – Les parents Picard étaient des gens pieux. Quand le Chapelet en famille a commencé, à CKAC (je pense que c'est quelques jours après la disparition de Michelina), les enfants ont cessé de jouer dehors entre sept heures et sept heures et quart. Sept jours par semaine, été comme hiver ! Même ma mère, qui était plus catholique que le pape, ne nous a pas imposé une telle corvée ! Ça ne veut pas dire que les Picard étaient du bon monde. Loin de là. Le jour où le chat a été immolé, mon père leur a rendu visite plus tard dans la soirée. Je n'ai jamais su ce qu'il leur a dit, mais dans les jours qui ont suivi, Marcel Picard s'est retrouvé à l'École de réforme. Tu m'apprends qu'il s'est évadé, puisque tu l'as vu avec Minou et qu'il t'a pourchassé.

7 – Le policier responsable de l'enquête s'appelait Albert Plamondon. Il aurait à peu près 80 ans. Si je le retrouve, je vais lui raconter ton histoire.

8 – Ta dernière phrase laisse entendre que tu as revu Marcel ou le « Masque », ou même les deux. Est-ce que je me trompe ?

Jean-Luc

• 12 •

Salt Lake City, 7 juillet 1990

Maigret prend la relève !

Non, mais, tu me sidères. Une chance que tu n'es pas romancier ! Ton sens de la conclusion laisse à désirer. Tu affirmes que « le mystère est éclairci. » Rien n'est plus faux. Je n'ai jamais écrit que Picard et l'Anglais avaient emprisonné, torturé, tué ou dépecé Michelina. Je sais seulement que c'est la dernière fois que je l'ai vue, agenouillée devant le vétéran qui criait après elle. Je ne peux rien ajouter, le reste, c'est toi qui l'inventes. Puis, quand « je suis monté dans l'escalier l'entrejambe humide », ça ne veut pas dire que je laissais des flaques derrière moi. Puis pour le caca, il est venu après, sous le balcon. Tu as raison, je ne suis pas fier de moi, mais il faut comprendre.

Le lendemain de cet épisode, je suis retourné chez moi à Notre-Dame-de-Grâce, n'ayant aucune intention de rester dans Villeray et de croiser Picard ou l'ancien combattant. J'ai appris par une de tes lettres que Michelina avait disparu, que la police enquêtait, mais ça, c'est au moins une semaine plus tard. Je n'ai pas tout de suite fait le lien entre la scène de la cuisine et sa disparition. J'ai cru plutôt à une fugue. Puis, tu m'as dit que son père et sa mère avaient déménagé peu de temps après. Pour moi, ça signifiait qu'ils l'avaient envoyée chez des parents pour la protéger des deux malades et qu'ils allaient la rejoindre. Tu vois, je suis moins dramatique que toi…

De toute façon, je ne voulais pas être mêlé à cette tragédie, c'est certain. Tout le quartier avait été interrogé, me disais-tu. J'ai tenu pour acquis que quelqu'un s'était pointé chez l'homme au masque à gaz. Son nom me revient maintenant, Elwarth. Chuck Helwarth. Ou Stu Begwarth, quelque chose dans ces eaux-là. Finalement, j'espérais éviter des embêtements à mon oncle et à ma tante. Picard avait beau n'avoir que 15 ans, il pesait deux cents livres et mesurait six pieds. Je ne parlerai pas de Helwarth ou Begwarth qui, s'il avait un masque à gaz, avait dû, dans mon imagination, conserver des pistolets ou des carabines. Des grenades, peut-être…

En ce qui a trait aux masques à gaz et aux guerres, c'est à toi de faire des recherches et d'établir la vérité. La bibliothèque et toi, vous n'avez plus de secret l'un pour l'autre.

Je ne croyais pas que tu irais *stooler* à la police. Un vrai *chum* ! Mais il va falloir qu'ils me trouvent. L'homme au masque à gaz a bien essayé, lui, mais c'était il y a longtemps. Quelques mois après les événements décrits, je crois l'avoir vu déambuler dans NDG. Sur le chemin de l'école, au parc, aux abords du *Community Hall*, autour de la piscine extérieure. Pas dans la même journée, Poirot, mais au fil des mois. J'ai commencé à marcher dans les ruelles et toujours avec mes amis Bobby et Luc. On s'achetait des cigares chez Tom's (des cochonneries à cinq sous), et on les fumait en route pour l'école. On mâchait de la gomme mauve, de la gomme à savon, qu'on disait, pour masquer nos haleines. De la *Thrill*, c'est ça ! J'imaginais des fantômes derrière les ombres, les buissons, les clôtures. Je le voyais même dans les femmes en manteaux lourds qui enfilaient les ruelles pour entrer par la porte arrière de leurs appartements, les bras chargés de sacs d'épicerie, les pains Pom sur le dessus des provisions pour qu'ils ne soient pas écrasés (il était si mou, si tu te souviens…). Ça aussi, tu peux le vérifier à la bibliothèque…

Comme tu as pu le détecter (!), je suis à Salt Lake City. La compagnie amorce une tournée sur la Côte Ouest. Après, on va aller partout dans le monde. Londres, Paris, Milan, Rome, toutes sortes de plus petits patelins ici et là. Ensuite des spectacles devant les militaires dans le Golfe. Je suis convaincu que le Sheik va avoir un succès bœuf, surtout qu'il n'est pas encore certain de perdre… Ensuite, on se rend en Thaïlande, avant de faire l'Asie et le Japon. Alors tu vois, je ne serai pas facile à dénicher.

En plus, tu ne connais même pas mon nom de lutteur. Une autre preuve de ton intérêt pour tes semblables ! Ça ne t'a jamais intéressé, comme ta vie privée ne m'intéresse pas. Si je t'écris maintenant, c'est que tu me provoques. Tu me forces à confronter mes démons. Mes phobies d'enfance, mes inquiétudes démesurées. J'admets que ça fait un peu malade ! (O.K. ! N'écris pas pour dire BEAUCOUP malade, je m'en doute.) Au moins, j'ai fait ma vie. Et je ne suis pas mort encore. Sois *blood*, ne parle pas à Plamondon. Ça ne donnera rien…

Amicalement (Ha ! Ha !)

R

• 13 •

Planète Terre, 12 juillet 1990

Bonjour, docteur Watson,

Je vous sidère, vous me faites rigoler !

Quelle hypothèse vous paraît la plus plausible compte tenu des faits que nous connaissons ? Élémentaire, mon cher Watson. Je considère généreusement comme étant aussi des faits les événements dont vous dites avoir été témoin :

1 – Le dimanche, 24 septembre 1950 (date de sa disparition, j'ai pu le vérifier dans Montréal-Matin) entre 19 heures dix et 19 heures et demie (ça, je le sais parce qu'il faisait déjà noir au moment où je suis rentré chez moi pour faire mes devoirs), Marcel Picard entraîne Michelina chez le « Masque ». Dans les minutes qui suivent, vous apercevez par la fenêtre la scène décrite dans une lettre précédente. Ensuite, vous êtes poursuivi par Marcel Picard et faites caca. Picard et le « Masque » savent (sentent) donc que quelqu'un les a surpris.

2 – Le même soir, peu avant minuit, après avoir fait le tour du quartier à sa recherche et avoir, entre autres, frappé chez moi pour vérifier si elle n'y était pas (c'est ma mère qui me l'a dit), les parents de Michelina appellent la police pour signaler sa disparition.

3 – La police commence son enquête, qui est confiée à l'inspecteur Albert Plamondon le 26 septembre.

4 – Début octobre (j'ai pu le vérifier), le père et la mère Martucci disparaissent à leur tour. Ni les journaux ni la police ne donnent d'explication à ce sujet. Ce qui n'empêche pas l'enquête de se poursuivre. Mais déjà l'affaire ne fait plus les manchettes et est reléguée à la rubrique des chiens écrasés.

5 – Le 29 mars 1951, un torse est découvert par deux enfants dans le petit bois Saint-Hubert. L'autopsie déterminera qu'il s'agit d'une fillette d'âge prépubère qui, si les membres avaient des proportions normales, devait mesurer environ quatre pieds dix pouces et avoir 10 ou 11 ans. Sans pouvoir établir de preuve formelle, l'inspecteur Plamondon déclare qu'il s'agit bel et bien de Michelina Martucci, AUCUNE AUTRE DISPARITION N'AYANT ÉTÉ SIGNALÉE QUI POURRAIT PERMETTRE DE CROIRE QU'IL S'AGIT DE QUELQU'UN D'AUTRE.

6 – L'affaire Martucci fait de nouveau les manchettes, puis sombre graduellement dans l'oubli. L'énigme ne sera jamais résolue.

7 – Le 6 décembre 1952, le docteur Watson, qui n'est pas encore docteur, car il vient d'avoir 12 ans et n'a pas terminé ses études de médecine, écrit à son ami Sherlock Holmes, avec qui il discute souvent de ce drame dans les lettres qu'ils échangent (à moins qu'il ne s'agisse du capitaine Hastings écrivant à Hercule Poirot) : « Je le sais, ce qui est arrivé à Minou. Je le sais, c'est qui le meurtrier. » Futé, Poirot note, trente-huit ans après avoir lu cette phrase pour la première fois, que le capitaine Hastings écrivait alors LE meurtrier, non LES meurtriers. Utilisons nos petites cellules grises, se dit Poirot. De toute évidence, mon ami Hastings est devenu un peu gâteux. Il se souvient clairement de certains faits, mais en a oublié plusieurs autres tout aussi importants. Il faudra lui secouer les puces, au pauvre capitaine, à moins que ce ne soient des oublis volontaires...

8 – Le 25 décembre 1952, au retour de la messe de minuit, Hector Dupré, mon père, est victime d'une thrombose coronaire. Il sera hospitalisé

pendant un mois et demi. Finie la carrière de facteur ! Il ira trier des lettres au bureau de poste.

Partant des sept faits indubitables que nous venons d'énumérer (oublions le huitième), la conclusion la plus plausible est que le 24 septembre 1950, l'homme au masque à gaz et Marcel Picard ont fait disparaître Michelina Martucci, que l'un des deux ou les deux l'ont assassinée, puis ont dépecé le corps et jeté le torse dans le petit bois Saint-Hubert. À l'époque où il ne souffrait pas encore de sénilité, c'est ce que croyait d'ailleurs le capitaine Hastings (voir Fait No 7).

Autre hypothèse, soutenue quarante ans plus tard par Hastings : Michelina est rentrée chez elle, ses parents l'ont mise à l'abri, puis sont allés la rejoindre. Invraisemblable !

Bon voyage, Miss Marple (Ha ! Ha ! Ha !)

Signé : Lemmy Caution

P.-S. – N'essaie pas de m'impressionner avec tes noms de détectives et tes moqueries pas très subtiles. Des romans policiers, j'en ai lu plus que toi. Et je suis même capable d'en écrire. Peux-tu en dire autant ?

• 14 •

Tes lettres illustrent très bien ton choix de carrière : comptable ! Des listes numérotées, des erreurs magistrales d'addition ! Travailles-tu pour un parti politique ? Les Libéraux, sans doute ! Provincial ou fédéral, c'est pareil ! Ou les Conservateurs ! Ou le PQ ! Je m'en câlisse ! Malgré tout, une mentalité de comptable, comme dirait mon ami Jean-Pierre en parlant des appareils électro-ménagers : « C'est pensé par des comptables ! Tout pour le profit, rien pour le monde ! ». Comme avec ma mère ! Partir du Québec m'est venu autant de ma peur du masque à gaz que du besoin de fuir sa présence à elle !

Tu peux conclure ce que tu veux « indubitablement » ! *Let me caution you against any stupid mistakes !* Je n'ai rien d'autre à ajouter.

Salut, Perry Mason !

• 15 •

Londres, 15 septembre 1990

Big Ben marque toujours l'heure. L'autre Big Ben, celui qui m'a foutu une volée à son entrée dans le merveilleux monde de la lutte, se porte bien lui aussi, beaucoup mieux que moi. Supposément, je suis très magané : une contusion, deux côtes cassées, des lacérations au visage. Je ne m'en remettrai peut-être jamais ! Demain, nous performons à Yorkshire, comme le pouding et les petits chiens ! Je dois prendre ma revanche et terrasser BB. Qui a dit qu'il n'y avait pas de justice !

Dans un autre ordre d'idées, ça doit faire deux mois que je n'ai pas eu de tes nouvelles. As-tu eu ta crise cardiaque ? As-tu appelé Plamondon ? Es-tu en prison ? Quoi ? Pour ma part, je m'ennuie de nos échanges. Nos discussions !

Je continue à y réfléchir, mais je n'arrive toujours pas à me convaincre que le torse trouvé dans le boisé soit celui de Michelina. Je ne peux pas m'imaginer que Picard, ce jeune *bum*, et Fuckward, ou Bugqard ou qui que ce soit, l'aient tuée. Le fait d'avoir été vus a dû les décourager, si tel était leur objectif. Penses-y, ça n'a pas d'allure. Je suis beaucoup plus inquiété par l'acharnement du vétéran au masque à gaz (il doit bien avoir 75 ans maintenant) à me chercher dans NDG. À cette époque, ma peur était tellement grande, qu'en 1960, après mes études à Brébeuf, j'ai décidé de disparaître. Après des jobs de plongeur, de serveur, je me suis engagé dans un circuit de cirque. C'est là que j'ai commencé à frayer avec le monde de la lutte. Les éléphants puaient plus que les lutteurs ! Et le Masque me poursuivait toujours. Pour vrai ? Qui sait ? C'est peut-être mon imagination…

J'ai passé la plus grande partie de ma vie à fuir. Seul, ici, en Angleterre, je me demande ce qui te motive, toi. As-tu vraiment le goût de découvrir qui a tué Michelina ? Est-ce qu'il y a autre chose qui te fait agir ? Si tu veux encore me parler, j'aimerais bien connaître les raisons de ton obsession.

Finissons-en avec les insultes. Si c'est tout ce qui reste de notre jeunesse et de notre ancienne amitié, eh bien soit ! Oublie cette lettre et bonne vie.

RD

P.-S. – Tu n'as rien de Poirot, Maigret ou Sherlock Holmes. Perry Mason non plus. Toi, tu sautes aux conclusions. Tes obsessions t'empêchent de reconnaître la réalité. Arrête de croire que Michelina était dans le boisé, ce n'est peut-être pas elle. Arrête de penser que tout le monde est méchant. Oui, je sais bien que c'est moi, le parano du masque à gaz, qui dis ça, mais parfois il est plus facile de voir les autres que de se voir soi-même. Tu devrais plutôt te consacrer, avec tes talents de chercheur, à découvrir où sont passés tous ces gens qui marquaient notre enfance. Où sont rendus les Martucci ? Et l'homme au masque à gaz ? Et Picard ? Et les multiples capotés du coin, comme ce chef des Louveteaux (où tu allais régulièrement), Rosaire ! (tu te souviens comme il dérapait avec la religion), ou le malade mental qui se crossait dans les buissons en surveillant la cour d'école ? Celui qu'ils ont attrapé, comment il s'appelait, déjà ? Tu dois le savoir ! Tu vois, il y avait plus de *crackpots* dans notre quartier que tu ne t'imagines. Une enquête se doit d'être exhaustive. Personne n'est à l'abri des soupçons.

• 16 •

Montréal, 23 septembre 1990

Robert,

Dans ta lettre non datée, que j'ai reçue le 15 août, tu m'abreuves d'injures. Dans la suivante, tu fais comme si de rien n'était et me suggères de reprendre le dialogue, mais sans tenir compte des arguments que je te soumettais dans ma lettre du 12 juillet. Tu te contentes d'affirmer que je saute aux conclusions. Tu n'as pas dû réfléchir très fort avant de l'inventer, celle-là !

Soyons clairs !

Dans cette lettre, je mentionnais sept faits. Tu demeures sourd à mes arguments, tu ne les examines pas, ne les analyses pas, n'essaies même pas de leur trouver des failles ! Tu les rejettes du revers de la main et répètes comme un perroquet « Non, non, non, c'est pas ça ! Non, non, non, c'est pas ça ! », tout en n'apportant aucun indice pouvant entériner TA théorie ! Je ne nie pas que tu puisses avoir raison, car tout est possible, y compris que Michelina ait été enlevée par des extraterrestres, mais tant que nous ne pourrons pas discuter de la question de manière rationnelle et posée, je ne vois pas l'utilité de poursuivre le dialogue. Tu « ne peux pas imaginer que... » ? Il ne s'agit pas d'imaginer, mais de « savoir et de comprendre ». Ce que tu ne peux pas imaginer, essaie donc simplement de l'admettre.

Comble du délire, tu me lances sur toutes sortes de pistes farfelues en me rappelant l'existence de quelques *crackpots* qui pourraient avoir quelque chose à faire avec la disparition et la mort de Michelina, mort à laquelle tu refuses de croire en dépit de toute logique. Penses-tu vraiment qu'avec mes faibles moyens, j'ai la moindre envie de m'éparpiller dans tous les sens ? Je ne suis pas détective, moi ! Je suis comptable, comme tu me le rappelles sur un ton méprisant qui me ramène à ma toute petite dimension. Ils sont intéressants, les personnages dont tu me parles, mais qu'est-ce qu'ils peuvent bien avoir à faire avec Michelina ? Oui, des *crackpots*, il y en avait beaucoup dans le quartier.

Le chef des louveteaux faisait des crises d'extase mystique devant les enfants au lieu de leur apprendre à faire des nœuds ! Il entrait en transe et faisait de la lévitation en nous parlant de la Vierge Marie comme s'il l'avait personnellement accompagnée au paradis au moment de son assomption. Il égrenait continuellement son dizainier. Même si mes parents, surtout ma mère, étaient très catholiques, ils m'ont retiré des louveteaux tellement cet homme-là était trop angélique pour ne pas être, au contraire, foncièrement démoniaque.

Et le type qui se promenait autour de la cour d'école, Saint-Aubin, il a baissé ses culottes devant moi un beau matin en plein hiver. D'accord avec toi, c'étaient des *crackpots* ! Mais quel rapport ? On les tient les deux coupables ! Tu voudrais que j'abandonne la proie pour l'ombre ? Qu'est-ce que je dois faire ? Fermer mes livres et m'inscrire à l'Institut de police, devenir patrouilleur au SPCUM, grimper lentement dans la hiérarchie, me voir confier un poste à l'escouade des crimes contre la personne et, finalement, dans une vingtaine d'années, rouvrir le dossier Michelina Martucci et reprendre l'enquête à zéro ?

Tu me demandes quels sont mes vrais motifs. Je te l'ai déjà dit, je veux réparer une injustice. Le meilleur moyen d'atteindre cet objectif, c'est de découvrir la vérité. Je veux connaître la vérité. Je comptais sur ton aide, mais je suis obligé de déchanter. Mais soyons justes, tu m'as été d'un grand secours. Grâce aux faits que tu m'as révélés, nous sommes sûrs à 99 % de l'identité des coupables. Libre à toi de nier l'évidence.

Je termine.

J'ai fini par rencontrer ma sœur Marie-Hélène. Je l'ai cuisinée un peu, elle a pu me révéler quelques détails nouveaux sur Michelina et sa famille. Si ça t'intéresse, je te ferai part de mes découvertes dans une prochaine lettre. Mais comme tu répondras à celle-ci en m'envoyant *manger d'la marde*, je ne t'importunerai plus.

Je n'ai pas appelé Plamondon, je n'ai pas eu le temps de le chercher. Il doit bouffer les pissenlits par la racine. Tu me fais d'ailleurs un compliment que je ne mérite pas en vantant mes « talents de chercheur ». Je n'ai aucun « talent de chercheur ». Je suis logique, c'est tout, rationnel et patient, même s'il m'arrive parfois de m'énerver un peu. Le temps et l'énergie vont d'ailleurs bientôt me manquer pour achever mon travail de détective très très amateur : ma femme demande le divorce, ma fille se marie et mon fils fait une dépression. J'en ai déjà assez sur le cœur, je vais me ménager un peu.

Ce que tu me dis de tes peurs, de ta fuite et de ta parano, ce que tu me racontes à propos de ton étrange carrière, tout ça m'intrigue beaucoup. Je dirais même que ça pourrait me toucher si tu ne prenais autant de plaisir à m'infliger des prises de lutte épistolaires, comme si on était tous les deux en train de *faker* dans l'arène au lieu de simplement discuter entre amis.

Sans rancune,

Jean-Luc

• 17 •

Base Irak 172, 1990

Bon,

Je suis à ██████ jours. Demain, nous partons pour ██████, avant de nous rendre à ██████. Dans quelques jours, nous aurons vu ██████ soldats ██████ ██████. Tous les jours, nous ██████ ██████

En ce qui concerne ta dernière lettre, je suis convaincu que ██████ n'a pas été ██████ ou ██████ par ██████ ou ██████. Toi, tu y tiens. J'admets que, de ton point de vue, ta version est probable. Disons seulement que moi, j'ai des ██████ qui me justifient dans ma ██████.

Ton ██████ dans une ██████ ancienne est mal placée. Si ██████ est mort, ça ne change rien. ██████ n'est plus là, quelle que soit la raison.

Je t'écrirai bientôt. On me dit qu'il est possible que cette lettre soit censurée, je n'en sais rien.

R

18

Captain Cook, Hawaï, 7 novembre 1990

Enfin, quelques jours de répit. Après la région du Golfe, une pause dans la tournée. Un break, ça fait du bien. Je ne sais pas dans quel état était ma dernière lettre. Je t'écris avant que tu puisses me répondre ou que ta réponse me rejoigne. Mon secret est trop lourd, je vais te le livrer. Sache que je dois marcher sur mes principes. Bien entendu, tu ne me croiras pas. T'auras l'original quand je passerai à Montréal. En attendant, tu devras te fier à moi, même si ma vie est du *fake*, comme les chiffres de bien des comptables. Rien de personnel. La vérité n'est pas l'apanage des mathématiques ni des sciences.

Quatre jours après avoir vu Michelina agenouillée devant Stu ou Stewart, quatre jours après avoir été pourchassé par Picard et avoir chié dans mes culottes, j'ai reçu une lettre de Michelina. Elle me suppliait presque de ne pas en parler.

D'abord, elle confirmait que l'Homme au Masque à Gaz et Picard m'avaient aperçu à la fenêtre. Elle m'a dit que leur but initial était de lui faire peur parce qu'elle était Italienne (du moins, d'origine italienne). Le vétéran détestait tous les *wops* et les voulait morts ou déportés. Des histoires de son séjour en Europe pendant la Deuxième Guerre. Ils l'ont menacée des pires sévices si elle parlait. En quittant le troisième étage, elle est rentrée chez elle et a tout raconté à ses parents qui, inquiets, l'ont immédiatement expédiée chez son oncle Ronaldo, dans la Petite Italie. Ils ont ensuite fait croire à sa disparition et ont informé les policiers de l'animosité et du danger que représentaient Elwarth ou Bugwarth, et Picard. Voilà, elle se cachait dans la famille. Bien entendu, ça ne devait pas se savoir.

Crois-moi, crois-moi pas, c'est vrai ! Je t'enverrai sa lettre en passant à Montréal. C'est pourquoi je tiens à ma version. Michelina n'est pas morte, surtout pas aux mains de ces deux crapules. Et tu as raison, il serait intéressant d'apprendre à qui appartenait ce tronc découvert dans le boisé. Mais ça, c'est le travail des policiers.

Maintenant, tu vas te demander pourquoi le vétéran m'aurait poursuivi dans NDG s'il n'avait rien à voir avec la disparition de Michelina. Je sais seulement qu'il m'a cherché et qu'il m'a fait fuir.

Voilà ! Réponds ou pas, ça m'est presque égal. Au moins, je ne suis pas le seul à traîner ce boulet que Michelina m'a attaché à la cheville. Où est-elle rendue ? Je suis convaincu qu'elle n'a pas enrichi le sous-bois Saint-Hubert.

RD

• 19 •

14 novembre 1990

Salut Robert,

J'ajoute un nouveau fait aux sept que j'énumérais dans mon avant-dernière lettre. J'ai eu raison de t'asticoter, te voilà accroché au bout de la ligne. Tu ne peux plus revenir en arrière, mon cher. Vas-y, saute dans ma chaloupe ! Une question demeure : je te crois ou non ? Ton histoire est tellement rocambolesque ! Comme ça, Michelina s'en est tirée saine et sauve ! Ensuite, elle t'a fait parvenir un message. Elle vit encore, c'est sûr, et tu vas la retrouver bientôt dans une île du Pacifique. Ils se marièrent et eurent beaucoup d'enfants ! Très bon roman s'il n'y avait tellement de péripéties que ça prend les allures d'un soap de Lise Payette !

Qu'est-ce qu'il doit faire le petit comptable à partir de maintenant ? Se réjouir que Michelina ne soit pas morte en 1950 ! Tu m'apprends une excellente nouvelle. Sauf qu'une autre est morte à sa place. Ce qui est tout aussi affreux.

Je reprends où j'ai laissé hier soir. Ici, c'est l'enfer ! Ma femme et moi nous sommes entendus pour qu'elle ne quitte pas la maison avant qu'Éric ne se sente mieux. Il ne se lave plus, ne mange plus, ne sort plus. On ne s'est jamais beaucoup parlé, mais juste au moment où je m'efforce d'établir le contact, il se referme comme une huître. Comme père, je suis complètement nul ! Comme mari aussi, de toute évidence. Ma femme m'a avoué qu'elle avait un amant. Ça ne me fait pas un pli sur la différence. Seulement une petite blessure d'orgueil. Son cul, elle peut en faire ce qu'elle veut, je m'en balance ! C'est comme ma fille. Elle a cassé avec son fiancé. Explication : elle a rencontré quelqu'un d'autre ! Grand bien lui fasse ! Moi, je sais que je vais crever dans trois ou quatre ans, peut-être avant. Tout ce que je désire, c'est réaliser mon dernier projet. Tu as compris qu'il s'agit de l'injustice commise en 1950, que je veux réparer. Tes récentes révélations viennent bouleverser la donne, mais je vais faire avec. À propos, j'ai bien hâte de voir la lettre de Michelina. J'y pense... Si tu l'as conservée, ça voudrait peut-être dire que tu as encore les miennes ?

Ça suffit pour aujourd'hui. Je te parlerai de mes entretiens avec ma sœur dans un prochain épisode de cette passionnante histoire...

À bientôt,

Jean-Luc

• 20 •

Chiang Mai, Thaïlande, 30 novembre 1990

Bon, c'est pas vrai. Je ne suis pas à Chiang Mai, mais en route pour Chiang Mai. J'ai reçu ta lettre tout juste avant de quitter Hawaï et profite de ce long, très long voyage pour t'écrire.

Je suis content que tu sois rassuré par ma dernière lettre, mais, au-delà des apparences, ça ne règle rien. Ce qui s'est passé en 1950 me hante toujours. Après cet événement, j'ai vécu dans la peur. Malgré la lettre de Michelina, je ne me suis jamais senti en sécurité. L'Homme au Masque à Gaz et Picard m'ont foutu la trouille, et ils apparaissent jusque dans ma soupe.

Je n'ai jamais plus entendu parler de Michelina. J'ai pensé parler à ses parents, leur demander comment la rejoindre. Mais comme elle avait osé communiquer avec moi sans permission, je ne l'ai pas fait. On ne cache pas son enfant sans lui interdire de contacter qui que ce soit ou de vendre la mèche. Ils ne m'auraient probablement rien dévoilé, mais auraient peut-être accepté de me faire un clin d'œil, style : « Ne t'en fais pas, elle est bien où elle est ! ». Quelque chose du genre. Mais ils ont disparu avant que je puisse les rencontrer. Je ne saurai jamais comment les choses se sont vraiment passées.

Ce qui me peine le plus, dans ce long voyage vrombissant, c'est ta situation.

Tes problèmes m'attristent. Moi, je n'ai pas connu la vie de couple. Ma propre famille était réduite au strict minimum : maman, papa et moi. Personne d'autre. Mes parents ont refusé le contact avec leurs frères et sœurs. Pourtant, la sœur et la mère de mon père vivaient à Côte-des-Neiges, à quelques rues de chez-nous. Des sauvages, en quelque sorte, et moi, enfant unique, je n'avais pas beaucoup d'amis. Mes meilleures années, je les ai vécues dans Villeray. On jouait dans la cour, dans la ruelle, au parc, à l'école. Après, à Notre-Dame-de-Grâce, maman m'a couvé comme jamais avant. Elle avait peur de tout et de tout le monde. Elle ne me permettait pas de dépasser le bout de la rue avec ma bicyclette, un bolide CCM, rouge, lourd, avec des cartes de baseball dans les *spokes* pour imiter une moto. Elle ne me laissait jamais aller nulle part, même pas à l'école, sans mes amis Bobby et Luc. S'ils n'étaient pas là, pour une raison ou une autre, elle me reconduisait elle-même. Une dizaine de rues. Y avait-il du transport scolaire dans ce temps-là ? Probablement pas. À l'âge d'aller au secondaire, à Brébeuf, j'avais intériorisé ses bébittes. Il y avait des méchants partout, qui prenaient la forme du vétéran et de Picard. Je les ai vus, quand même ! Pas si fou, le ti-gars ! Je n'ai pas eu de blondes et, après mon départ de la maison, je n'ai pas remis les pieds à Montréal avant la mort de mon père. Ensuite, je suis resté éloigné jusqu'à celle de ma mère. Dans les deux cas, il n'y a pas eu de service. Des petites sandwiches, sans plus. La peur de voir nos deux « amis » se pointer me tenait à l'écart. Robert a mangé des sandwiches roses et vertes, serré des mains, accepté les condoléances et prétexté un combat loin, loin, loin pour partir tôt.

Bullshit !

Alors, quand j'entends parler de tes malheurs, j'ai deux réactions : de la jalousie et de la tristesse. De la jalousie parce que je n'ai pas eu de famille. J'ai eu le bonheur de devenir père d'un garçon, en 1960. Mais autant j'étais heureux, autant j'ai fui. C'est à ce moment que je suis devenu un enfant du cirque. À la mort de mon père, j'ai rencontré une fille avec qui j'ai fait un autre bébé. Micheline. Voilà, ça résume ma vie familiale. Alors, de savoir que tu as une famille, ça me rend envieux.

Par contre, force est d'admettre que tes déboires actuels n'ont rien de réjouissant. On a beau ne plus se voir et, même, ne pas s'apprécier trop, trop, je ne t'ai jamais souhaité de malheurs. J'ai toutefois une petite suggestion, si tu me le permets : *Slack les hormones ! Prends ça cool !*

Je vois bien, depuis le 20 janvier, quand on a commencé à correspondre, que tu réagis aux événements avec tes tripes. Tu rues dans les brancards, montes aux barricades, prends tout au pied de la lettre.

O.K. ! Calme-toi ! Ce n'est pas une attaque. On peut en dire autant de moi ! Je le sais, ne le prends pas comme si c'étaient des insultes. Tu m'as avoué tes faiblesses au cœur, problème génétique et tout. Essaie de prendre les choses de manière posée. Peut-être que ton comportement est responsable de la fuite de ta femme, de l'instabilité de ta fille, de la dépression de ton fils. Je n'en sais rien, mais une chose est certaine : une attitude trop tendue ne peut rien aider. Je te dis ça comme ça, gentiment, amicalement, sans Ha ! Ha !

Bon, on doit atterrir bientôt, je te laisse. Quand je retournerai à Montréal, après la tournée, je t'enverrai la lettre de Michelina. N'aie crainte.

RD

• 21 •

8 décembre 1990

Mon cher Robert,

Merci pour tes bons mots. Je n'aime pas faire pitié, mais si c'est l'effet que je produis, tant pis ! Après tout, c'est ma faute. Je n'avais qu'à tenir ça mort, comme dit l'expression consacrée.

Il y a eu un service commémoratif pour les victimes de Lépine. J'y suis allé avec ma femme et ma fille. Micheline était là aussi. Tout le monde pleurait.

Je suis en train de lire un livre extraordinaire sur Polytechnique. Ça vient de paraître. Il va falloir que tu le lises un de ces jours. Manifeste d'un salaud. Le genre de bouquin qui vous arrache les mots de la bouche. Je me cache pour le lire, car ma femme – pourquoi je dis encore MA femme ? – et ma fille me regarderaient de travers et je n'ai pas du tout envie de me disputer. On ne fait plus partie du même monde, elles et moi. Je suis un peu injuste avec Nathalie, qui est une fille brillante. Mais sa pensée est contaminée par les idées fixes des féministes enragées. Elle a de très bonnes excuses, elle se trouvait sur les lieux, elle, et aurait pu se faire tuer. Je crois qu'elle va bientôt basculer d'un bord ou de l'autre : soit que tous les hommes sont des tueurs en puissance qui ont pour idole et maître à penser un certain Marc Lépine (ça, c'est le discours des féministes), ou soit que… je cherche mes mots. Tu me comprends. J'espère qu'elle va faire le bon choix.

Depuis un an, je mène une double vie. Nos lettres et puis tout le reste. Et quand je parle des lettres, je fais aussi référence à celles des années 50. La première chose que j'ai fait le lendemain de notre rencontre, c'est aller fouiller dans la vieille boîte de carton où je conserve mes souvenirs d'enfance et d'adolescence. Je savais qu'elles s'y trouvaient. Je parle de tes lettres, les miennes, c'est toi qui les as. Je ne les avais pas lues depuis l'époque des dinosaures. Tu connais la suite.

Il faudrait qu'on se voie. Il y a tellement de points obscurs à éclaircir. Je n'y arrive pas. C'est bien pratique le traitement de texte, mais ça ne réfléchit pas à ta place. Le temps passe trop vite et je suis pressé. Pour le moment, je ne ressens aucun symptôme inquiétant. Malgré tous mes efforts, mes artères continuent de se remplir de crasse. Un bon jour, au beau milieu d'une lettre ou d'une addition dans la colonne débit d'un bilan financier... Bang ! Me voici étendu dans un cercueil sous le regard éploré d'une veuve joyeuse. Je voudrais tellement que ça arrive après mon divorce ! Si elle vient me voir au salon funéraire, je jaillis de ma tombe et je la mords.

Ma maladie porte un nom barbare : hypercholestérolémie familiale homozygote. Il y en a qui ont hérité du mauvais gène des deux côtés, de leur père et de leur mère. Ceux-là, ils meurent très jeunes. Dans mon cas, et dans celui de mon frère, le problème vient uniquement de la branche paternelle. J'ignore pourquoi, mais dans ma famille (mon médecin me dit que c'est un pur hasard) la maladie n'atteint que les hommes, qui meurent à 40 ou 50 ans, rarement 60. J'ai dû léguer cette cochonnerie à Éric, ça me donne envie de crier. Les femmes s'en sauvent bien, elles tiennent le coup jusqu'à 70, 80 ou même 90 ans. Quand elle va mourir, dans trente ou quarante ans, ma sœur aura oublié qu'on se ressemblait naguère comme deux gouttes d'eau. Dans les traits et l'expression. Une chose est certaine, si l'un des deux est un bâtard, l'autre aussi en est un ! Justement, il faut que je te parle de ma sœur. Je te laisse pour le moment. Quelques heures de sommeil devraient m'aider à mettre de l'ordre dans mes idées.

Pas dormi de la nuit, je suis une loque humaine. Le temps des Fêtes arrive, c'est la catastrophe. Je te donne de mes nouvelles le plus tôt possible, mais ça va sans doute aller à l'an prochain.

Mes meilleurs vœux pour le joyeux temps des Fêtes (Ho ! Ho ! Ho !).

Jean-Luc

P.-S. – Si je me souviens bien, c'est ton anniversaire le dix. Je t'en souhaite un très jouissif. Ma lettre va te parvenir trop tard, mais tant pis. Est-ce qu'il neige, en Thaïlande ?

• 22 •

Bangkok, 25 décembre 1990

Tu dois te demander ce que je fais encore en Thaïlande, un mois après mon arrivée dans une « tournée » mondiale. Normalement, les tournées durent une, deux semaines au plus. Une soirée par grande ville, pas plus. Le lendemain, on prend l'avion pour la prochaine destination. Celui de la compagnie est équipé pour des êtres surdimensionnés comme la plupart de mes collègues. À sept pieds et quatre cents livres, il faut de la place pour les jambes... Bien entendu, les nains et les femmes qui nous accompagnent n'ont pas ces problèmes. Il y a bien Gorgeous Brenda à trois cent cinquante livres et des poussières qui fait exception à la règle. Elle a besoin d'espace. En plus, elle pue ! Alors, comment se fait-il que je ne sois pas parti avec le gros des troupes (sans jeu de mots) ? La réponse est simple. Dans ce métier, on peut être dépêché pour de mini séjours de deux, trois semaines ou même un mois, dans une région particulière. Si un combat a suscité de l'intérêt dans un pays, la compagnie nous « prête » aux organisations locales. On est traités en vedettes. C'est la meilleure façon de faire son nom dans le maelström de la lutte. Normalement, ils s'arrangent pour qu'on remporte le championnat contre un héros de la place. Alors, il faut rester assez longtemps pour qu'il puisse, éventuellement, regagner son titre. Bien entendu, ça vient après des tricheries, deux ou trois, des interventions de ses ennemis dans nos combats qui disqualifient l'un ou l'autre des lutteurs (un titre ne change pas de main sur une disqualification). Bref, ils savent faire durer le plaisir. Après un certain temps, on réintègre la tournée. Six mois plus tard, on reprend le circuit et on retrouve notre place. C'est le fun, on voit du pays, on rencontre des gens, on mange, parfois très bien, parfois très mal, à toutes les tables. Dans plusieurs de ces régions d'Asie, les lutteurs sont considérés comme des rois, des dieux quand ils ont les yeux plissés.

Enfin, voilà ! Mon combat à Chiang Mai, contre un mastodonte connu sous le nom de King Ming Li, s'est terminé à mon avantage quand le King a glissé du troisième câble et s'est accidentellement blessé au dos. Il gisait dans le centre du ring, je n'avais pas d'autre choix que de lui « river les épaules au matelas : Un ! Deux ! Trrrrois ! ». Bref, je suis devenu champion ! Pour combien de temps ? Celui qu'il faudra pour qu'il se remette de son mal, qu'il prenne ses vacances, que je me fasse un tas d'ennemis... et qu'il puisse réclamer le titre qui lui revient.

Aujourd'hui, c'est Noël. Je suis abandonné dans ma chambre d'hôtel, seul, merci. Certains des lutteurs thaïs ont bien voulu me recevoir, mais je préférais une journée de congé. Les Thaïs sont bouddhistes et ne célèbrent pas Noël et le Nouvel An comme nous. C'est surtout, pour eux, un trip commercial étonnant, les décorations des magasins sont extravagantes, clinquantes. Il fait 30 degrés Celsius. Ce soir, je vais fêter en me gavant de foie gras et en buvant du champagne, selon la coutume locale. On me dit que la salle à manger est impressionnante, pleine de touristes américains et de vieux messieurs qui sortent leurs jeunes amis, garçons ou filles, d'âge prépubère. C'est bien fort, ça, ici. On nous a mis en garde : pas touche ! C'est pas le temps d'avoir un champion de lutte emprisonné pour avoir enculé un jeune garçon ou s'être fait sucer par une jolie Thaïe de sept ans.

Eh bien ! Joyeux Noël. J'espère que tu n'as pas lancé d'atocas à ta femme et que la cravate que t'a donnée ta fille n'est pas trop laide.

RD

• 23 •

Bangkok, 26 décembre 1990

Ça va mal ! Hier soir, au souper, j'ai vu l'homme au masque à gaz avec une petite fille, pas plus de huit ans. Ils mangeaient, et lui ne cessait de lui caresser les cheveux. Je suis retourné dans ma chambre. Je pense qu'ils ne m'ont pas aperçu. Mon foie et la moitié de ma bouteille de champagne sont restés sur la table.

Je fais mes bagages et reviens au Québec.

Je suis tellement ébranlé. Nos chemins se croisent encore.

RD

1991

• 24 •

5 janvier 1991

Salut, grand voyageur !

J'ai relu toutes nos lettres très attentivement, les miennes comme les tiennes. Il y a quelque chose qui cloche. Entre autres, dans ton itinéraire. Je suis très perplexe. Le 7 juillet, tu m'annonces qu'après avoir combattu dans la région du Golfe, ta tournée va se poursuive en Thaïlande, puis en Asie jusqu'au Japon. Jusque-là, fort bien. Mais veux-tu m'expliquer comment il se fait qu'entre cette date et ta première lettre de Thaïlande, datée du 30 novembre, tu aies réussi, sans jouir du don d'ubiquité, à te retrouver à Hawaï le 7 novembre ? Je ne suis pas très fort en géographie, mais il y a là un exploit qui tient du prodige. Vous seriez partis du Golfe pour aller vous reposer à Hawaï dix mille kilomètres plus à l'Est au milieu de l'Océan Pacifique et vous seriez ensuite retournés vers l'Ouest en Thaïlande ? Un voyage digne des milliardaires du *jetset*, ça ! J'aimerais avoir la certitude que tu ne me mènes pas en bateau… ou en supersonique.

Tu aurais donc aperçu l'homme au masque à gaz dans la nuit du 25 au 26 décembre ? Dans la salle à manger d'un hôtel de Bangkok ? Il portait sans doute un déguisement de Père Noël ! Me prends-tu pour une valise ?

Ne te fâche pas. Si ton histoire est vraie, et je veux bien croire qu'elle l'est, je tiens à ce qu'elle le soit, abreuve-moi d'injures, mais s'il-te-plaît jure-moi que ce n'est pas une blague. Jure-le et je vais te croire sur parole.

Au moment où je t'écris, tu es au Québec. Peut-être à Montréal, tout près d'ici. En jetant un coup d'œil à la fenêtre, je pourrais t'apercevoir sur le trottoir d'en face en train de surveiller la maison. Comme j'aimerais que tu viennes frapper à ma porte !

Il faut qu'on se voie ! Absolument !

Tu connais mon adresse, voici mon numéro de téléphone : 265-5841.

Ne me fais pas languir.

Jean-Luc

• 25 •

Quelque part au Québec, 25 janvier 1991

Jean-Luc, Jean-Luc !

Tu es un grand sceptique ! Un peu casanier, bien entendu. Tu ne connais rien à l'univers de la lutte. Le 747 utilisé par l'organisation revient régulièrement aux États-Unis. De New York, on se rend en Californie, de là à Honolulu. Une vingtaine d'heures. Pour aller en Thaïlande, on fait Honolulu-Tokyo en 747 et Tokyo-Bangkok en 737. Une vingtaine d'heures encore. Ah oui, il y a un vol direct avec Thaï Airways de Bangkok à Montréal. Ce bout-là était à mes frais. La totalité de mes économies.

Pour ce qui est de la valise, tu serais une Samsonite ! Avec des roulettes, la nouvelle mode.

J'ai bien vu l'Homme. Sa cicatrice est inoubliable. Puis tu aurais avantage à repeindre ton balcon ! La brique demande de nouveaux joints, surtout près du toit, au-dessus de la chambre à coucher.

Je suis maintenant en région, j'assiste un ami dans l'écriture de scénarios de lutte. On n'est plus à l'époque des hommes forts qui rivalisaient d'un village à l'autre. Parfois, ça arrive, mais c'est aussi chorégraphié. Quand le boucher d'un patelin, le vrai, celui qui tue les steaks et les poules, se présente masqué sous le nom de l'Exécuteur, il cherche à conserver son anonymat et à combattre dans des villages où il ne sera pas reconnu à cause de ses tatouages.

Comme tu vois, je ne veux pas dire où je me trouve. Ce n'est pas par méchanceté, c'est par protection. Tant que je ne saurai pas ce que sont devenus Elwarth et Picard, je vais me tenir loin. Tu devras faire avec pour quelque temps, à moins que tes recherches me rassurent sur le sort des deux pédos. L'Homme en est un, c'est certain. Si tu l'avais vu, comme moi, avec la petite Thaïlandaise, tu aurais toi aussi constaté que ce n'était pas sa nièce ni sa petite-fille.

Notre correspondance pourra se poursuivre comme avant. Une personne en qui j'ai entièrement confiance va encore m'acheminer tes lettres et te poster les miennes.

RD

• 26 •

Toujours au Québec, 30 janvier 1991

Bonjour Jean-Luc,

Je suis sur le point de déménager. J'ai la bougeotte. La vie sédentaire ne me convient pas. Demeurer au même endroit, aussi plaisant et sécuritaire soit-il, ne me va pas. Ça doit venir de mon enfance.

Avant de m'installer dans Villeray, tout près de chez toi, mes parents ont souvent déménagé. Je suis né à Repentigny. J'y ai vécu mes deux premières années, puis on est parti à Hull, un an, puis à Saint-Jérôme, puis à Notre-Dame-de-Grâce, juste avant d'aboutir sur la rue Saint-Gérard. C'est là que je suis resté le plus longtemps, jusqu'en 1950. Après, mes parents ont voulu retourner à NDG où, aux deux ans environ, ils passaient d'un appartement à l'autre, parfois au milieu du bail. Je n'ai jamais réussi à m'installer longtemps au même endroit, et seule l'école m'a servi de point d'ancrage. Au primaire, à NDG, j'allais à l'école Notre-Dame-de-Grâce, au secondaire, à Brébeuf, où j'ai été pensionnaire pendant quelques années. Mes parents pensaient que ça serait bien pour moi. Pourquoi ? Je n'en sais trop rien. Rester à moins de vingt minutes de chez soi et être pensionnaire, il faut le faire. Ils voulaient sans doute me protéger de quelque chose. L'instabilité de leur couple ? Les états d'âme de ma mère ? Un danger que j'ignorais ? Cherche à savoir.

Pendant ces années de pensionnat, mes amis venaient de partout au Québec, même du monde entier. J'y ai rencontré des Africains, des Asiatiques, des Américains, des Européens. Il y avait aussi quelques Arabes. C'est sans doute pour ça que j'ai pris goût au voyage. Pendant mes deux dernières années au collège, en Philo I et en Philo II, j'ai réintégré le giron familial. Des années assez rock and roll à la maison, avec ma mère qui attendait mon père tous les soirs en pleurant à la fenêtre, mon père qui prenait plus de plaisir à sortir avec ses *chums* après le travail, quand ce n'était pas qu'il devait voyager pour son emploi.

Je n'ai donc pas eu beaucoup d'attachement à la maison. Quand j'ai pu partir, je l'ai fait.

Aujourd'hui, je m'apprête à repartir. Même si je viens juste d'arriver. Peut-être pas loin, le nord-est des États-Unis m'attire. J'ai rencontré une fille qui fait partie du show et voyage beaucoup dans ce coin-là. Dans mon métier, on peut se relocaliser (ou se délocaliser, je ne sais pas si le mot existe) assez facilement.

Alors voilà, on continue cette correspondance malgré tout. Je te tiens au courant.

Robert

• 27 •

2 février 1991

Mon cher Robert,

Es-tu blessé à la main droite ? Ta lettre du 25 janvier est presque illisible. Même en les examinant au microscope, il y a deux mots que je n'ai pas pu déchiffrer. Dans le quatrième paragraphe : « Ça aussi c'est… ». C'est quoi ? Serait-ce le mot « chorégraphié » ? Aussi, dans le même paragraphe, tu écris à propos du boucher du patelin qui tue les « trucs-machins » et les poules. Les quoi ? Simple curiosité. D'apprendre quels sont ces mots ne changera rien au sens global de ta lettre : tu refuses de me rencontrer sous prétexte que tout danger n'est pas écarté. Et ce danger, c'est le « Masque à gaz », c'est-à-dire celui que tu appelles Elwarth (autre mot difficile à lire) et qui s'appelle en réalité Elward, Charles Elward. Ça, c'est ma sœur qui me l'a appris. Ce type que tu aurais aperçu le soir de Noël (pardonne-moi d'utiliser le conditionnel), tu n'as rien à craindre de lui, il est actuellement en Thaïlande. À moins que son ombre ne t'ait poursuivi jusqu'ici. Quant à Picard, tu n'as rien à craindre non plus, il est mort en prison il y a dix ans. Ça aussi, ça vient de ma sœur.

J'ai rencontré Marie-Hélène au mois d'août avant la rentrée scolaire. Elle est professeure d'histoire au secondaire à Sherbrooke. Auparavant, elle a enseigné au Collège militaire de Saint-Jean. Comme tu vois, elle a réussi dans la vie, elle. C'est pas comme son frère. Depuis, on s'est parlé une couple de fois au téléphone. Voici ce qu'elle m'a appris à propos de Michelina, avec qui elle jouait de temps en temps malgré la différence d'âge de presque trois ans.

Michelina lui avait déjà dit que son père était malade, qu'il « faisait des crises ». Détail anodin, glissé comme ça dans la conversation. Mais un soir, vers huit heures, elle est arrivée chez nous en pleurant : « Mon papa va mourir, mon papa va mourir ! ». Elle était si bouleversée que ma mère a dû intervenir pour la calmer. J'étais probablement chez les louveteaux, ou chez toi. Quand je suis rentré, Michelina était déjà retournée chez elle, accompagnée de ma mère, qui avait ordonné à ma sœur de ne rien me dire. On savait garder les secrets, dans ce temps-là.

Le père de Michelina aurait donc fait des crises, mais des crises de quoi, je l'ignore. Épilepsie, angine ? Michelina ne m'a jamais parlé de la maladie de son père. À toi non plus sans doute. Je suppose que sa mère lui avait ordonné de garder le secret.

Marie-Hélène se rappelle que Michelina avait souvent l'air triste. Elles fréquentaient toutes les deux l'école Saint-Alphonse, mais elle ne se souvient pas de l'avoir vue jouer avec les filles de son âge. Elle restait toujours seule dans son coin ou essayait de se joindre aux groupes plus âgés.

La disparition de Michelina, puis celle de ses parents, avaient déjà semé beaucoup d'inquiétude dans le quartier, mais la découverte du corps décapité et démembré a provoqué une véritable panique. Notre mère était continuellement sur les dents. Un maniaque hantait nos rues. Tous les enfants étaient menacés et les filles encore plus. Les esprits ont fini par se calmer et quelques mois plus tard, les enfants ont pu recommencer à jouer dehors sans être constamment tenus en laisse. Tu ne peux pas te souvenir de ça, tu vivais à NDG. Mais je t'en parlais dans mes lettres.

Marie-Hélène m'a aussi parlé de l'homme au masque à gaz. Il s'appelait Charles Elward. Il avait combattu en Sicile en 1943 avec le Royal 22e Régiment. Blessé au combat, il a d'abord été rapatrié en Angleterre, puis au Canada en 1945. Il aurait été hospitalisé jusqu'en 46, puis retourné à la vie civile. Comment Marie-Hélène peut-elle savoir tout ça ? Simplement parce que mes parents le lui ont dit après le départ d'Elward, avec qui mon père jasait à l'occasion. Mon père parlait à tout le monde, je ne suis pas étonné qu'il ait pu parler aussi à Elward. C'était un homme extrêmement troublé. Il racontait qu'une balle lui avait traversé le crâne et qu'il lui manquait un bout de cervelle. Il vivait avec sa mère à moitié paralysée. Elle était Canadienne française, mais s'était mariée avec un Anglais de l'Ontario, qui mourut avant la Deuxième Guerre. Elward parlait aussi bien l'anglais que le français, avec un accent dans les deux cas. Il radotait toujours les mêmes histoires et se mettait parfois à bégayer. Ses yeux se retournaient et, pendant quelques secondes, il avait l'air d'être ailleurs. Ses sourires se transformaient toujours en grimace. Marie-Hélène se souvient aussi du masque à gaz et trouvait déjà, à l'époque, que nos craintes étaient injustifiées. Mon père, qui connaissait un peu Elward, aurait pu essayer de me rassurer. Mais non ! Il se contentait de répéter que j'avais peur pour rien. «Une femmelette », qu'ils disaient. Ma sœur était plus grande, et probablement plus intelligente, elle a donc pu briser des secrets qui ne m'ont été révélés qu'il y a quelques mois… grâce à ses bons soins.

Elle ne se rappelle pas le moment précis où Elward a déménagé, mais c'est en 52 ou 53. Comme il s'agit d'un ancien combattant et qu'elle connaît bien les milieux militaires (son second mari est officier dans l'armée canadienne), elle va essayer de se renseigner. Je lui ai parlé deux fois depuis notre rencontre, elle n'a pas encore eu le temps de tenir sa promesse.

On a aussi parlé des Picard. Surtout du plus vieux, Marcel ! Elle confirme ce que nous savions déjà. C'était un psychopathe ! Il aurait commis quatre ou cinq meurtres et plusieurs viols avant d'être arrêté en 1975 et condamné à vie. Marie-Hélène se souvient d'avoir lu dans le journal, il y a une dizaine d'années, qu'il était mort au pénitencier, assassiné par un codétenu. Cette nouvelle-là m'avait complètement échappé. Il faut dire que le sort de Marcel Picard était le cadet de mes soucis. Je vais retourner à la bibliothèque pour vérifier s'il s'agit bien de notre excellent ami d'enfance tueur de minous ! En attendant, cesse de t'inquiéter.

J'effectue actuellement d'intenses et fastidieuses recherches pour retrouver Albert Plamondon. J'ai contacté les autorités policières, qui n'ont pas voulu confirmer qu'il est encore vivant. Question de confidentialité ! J'ai donc dû me rabattre sur une autre méthode. J'appelle tous les Plamondon dont le nom apparaît dans l'annuaire téléphonique. Procédé très hasardeux qui demande beaucoup de patience. Car, à supposer qu'il ne soit pas mort, rien n'assure que notre homme demeure toujours à Montréal. J'ai évidemment commencé par ceux qui affichent le prénom Albert ou l'initiale A. Sans aucun succès. Il y a plus de deux cents Plamondon, j'arrive au tiers du parcours. Avec un peu de persévérance, je vais peut-être tomber sur quelqu'un qui connaît ou aurait connu ce Plamondon-là, peut-être sa fille ou son fils, sait-on jamais. Ce qui m'encourage, c'est que mon Albert Plamondon n'est ni au cimetière de la Côte-des-Neiges ni au cimetière de l'Est. Je me suis rendu sur place et j'ai vérifié. Ils ont des listes tenues à jour de tous les bipèdes, unijambistes et autres culs-de-jatte enterrés là depuis Adam et Ève. Tu as dit que j'avais des talents de chercheur, je vais finir par te croire. Je te tiens au courant.

Soigne ta main blessée,

Jean-Luc

• 28 •

East Rutherford, N.J., 16 février 1991

Salut Jean-Luc,

Je vais essayer de mieux écrire pour me rendre plus lisible. Le boucher coupait des steaks, comme dans bœuf. Et c'est bien CHORÉGRAPHIÉ, comme dans danse. La lutte est hautement chorégraphiée, scénarisée. Comme le théâtre. Mais crédible ! Jamais le spectateur ne se demande, au théâtre, si le comédien s'est vraiment fait mal dans une scène violente. À la lutte, oui. Souvent les gars et les filles présentent deux matchs par jour, dans des villes différentes. Parfois cinq jours par semaine. Alors, tu sais, les blessures se soignent vite ! C'est pas comme à la boxe ! Ou au *kick boxing* ! Ça, c'est pour la salade.

La nouvelle sur le sort de Picard me réjouit. Oh ! Que je suis un mauvais chrétien, mais au nom des jeunes mortes ou violées qu'il a laissées derrière, c'est vraiment une bonne nouvelle. À propos du « Masque à gaz », que tu dis s'appeler Elward, eh bien, s'il est en Thaïlande, ça ne fait que confirmer ma version. (Comment as-tu appris qu'il y était ? Connais-tu ses agissements ? Une simple interrogation.) Je vais pouvoir souffler un peu.

Je me pose une question. Si Elward a servi en Sicile, en 43, et que la famille Martucci était italienne, se seraient-ils rencontrés là-bas ? L'acharnement d'Elward contre Michelina serait-il lié à cet épisode guerrier ? Je peux facilement m'imaginer que ce vieil anglais (il aurait maintenant entre 65 et 75 ans) ait voulu s'en prendre à un ancien ennemi. Peut-être même celui qui l'aurait blessé pendant la guerre ? Si c'était le cas, ça nous fournirait un lien entre Elward et les Martucci. Ça expliquerait possiblement la disparition soudaine de la famille : la peur, la fuite ?

Si j'étais toi, je me questionnerais sur les aveux de ta sœur. Pas qu'elle soit menteuse, mais elle a sans doute une mémoire sélective ! Ou des blancs psychologiques. Je dis ça parce que le vétéran a une réputation de harceleur ! J'en sais quelque chose. Alors pourquoi ne l'aurait-il pas molestée, elle aussi ? Si je me souviens bien de Marie-Hélène, elle était pas mal *cute* dans ce temps-là. Il ne l'aurait pas ignorée…

Moi, ça va bien. Ma nouvelle amoureuse, Jenny (Hot Pockets McGuire, de son nom de lutteuse), fait fureur dans les salles du New Jersey. Ça doit être à cause de ses seins, qu'elle a, je l'admets, très gros. J'espère seulement que les implants de silicone n'exploseront pas. Quand elle saute de la troisième corde pour faire un *splash* sur son adversaire et qu'elle tombe sur le ventre dans l'arène, j'ai toujours un frémissement dans la colonne.

La tournée se poursuit dans le Nord-est des États. Je te laisse, j'ai un match dans dix minutes, et je dois me préparer. (C'est moi qui saigne ce soir.)

RD

• 29 •

24 février 1991

Salut Robert,

Je réponds succinctement à tes deux dernières lettres, celles du 30 janvier et du 16 février.

Merci de me faire confiance. Tes confidences me touchent. Malgré toutes tes épreuves et les séquelles qui en résultent, tu as mené une vie très excitante. Je t'envie.

Serais-tu un peu fatigué ? Tu me demandes comment je peux savoir qu'Elward est en Thaïlande. Je le sais parce que c'est toi qui me l'as dit, voyons ! Tu es revenu au Québec, il est encore là-bas !

Tes spéculations à propos de Martucci et Elward, qui se seraient rencontrés en Sicile pendant la guerre, valent sans doute la peine d'être explorées, même si je trouve que c'est un peu tiré par les cheveux (comme dans la lutte).

Mais quand tu écris qu'Elward a une réputation de harceleur, tu dérapes. Le seul qui considère Elward comme un harceleur, c'est toi. Il en faut davantage pour bâtir une réputation. Chose certaine, il ne m'a jamais harcelé, il n'a jamais harcelé ma sœur. Dans l'une de tes anciennes lettres, tu fais effectivement mention du « Masque à gaz », qui t'aurait suivi dans NDG. J'ai dû te répondre que c'était difficile à croire, car Elward habitait encore derrière chez moi. Je le voyais régulièrement tout en me tenant à distance.

Je te le confirme : ma sœur n'a jamais été harcelée par Elward. Par contre, elle l'a bel et bien été par Marcel Picard. Non, ne dramatise pas, il ne l'a pas violée, juste achalée. Ça s'est réglé après l'affaire du chat, quand il a été placé à l'École de réforme. Et je pense que l'intervention de mon père, qui n'avait pas froid aux yeux, y était pour quelque chose. Nous détenons la preuve qu'il s'est évadé, puisque tu l'as revu le soir où Michelina a disparu. À ma connaissance, il n'est jamais réapparu dans le quartier.

Tu devrais consacrer tes débordements d'énergie créatrice à l'écriture de scénarios de lutte qui révolutionneraient les arts de la scène. À moins que tu ne te lances dans le roman policier. Tu as de très bonnes idées, il suffirait d'éliminer les péripéties invraisemblables.

Bonne chance dans tes amours.

Jean-Luc

P.-S. – Je n'ai pas encore retrouvé Albert Plamondon. Et j'attends toujours la lettre de Michelina. L'aurais-tu perdue… ou inventée ?

• 30 •

Rochester, N.Y., 6 mars 1991

Salut Jean-Luc,

Je ne veux pas t'insulter, mais tu crois tout ce qu'on te dit !

Ta sœur affirme qu'elle n'a jamais été molestée par Elward, et tu la crois ! Picard l'aurait harcelée, mais pas son acolyte. Ces deux-là semblent pourtant avoir été de connivence, comme l'a démontré l'agression contre Michelina. Tu t'imagines qu'Elward n'avait pas de mauvaise réputation, surtout pas celle de harceleur. Tu t'enfonces la tête dans le sable. Michelina m'a fait la confidence qu'elle était constamment sous la surveillance du vétéran. Il la suivait jusqu'à l'école, il passait des heures tapi dans l'ombre à regarder les enfants alignés devant la salle paroissiale quand on allait au cinéma le samedi.

Si ta sœur avait été violée par le fou au masque à gaz, aurait-elle osé en parler à son frère ? Au téléphone ? Elle aurait admis cette agression à son mari, à ses enfants si elle en a ? Excuse-moi, je m'emballe. Michelina me racontait ce que faisait ou menaçait de faire ce déviant, les attouchements subis par ses amies. Selon toi, il y avait peu de filles qui jouaient dans la ruelle. T'es-tu déjà demandé pourquoi ce cinglé t'a épargné ? Toi, ton père était là et n'avait pas peur d'interpeller les voisins. Peut-être que ta sœur aussi a été épargnée. Remercie ton père d'avoir veillé au grain. Il a réussi à écarter Elward. À cause de sa manie d'intervenir dans son entourage, il aurait pu subir des représailles si ta sœur avait parlé. Tu sais, un enfant ne veut pas mettre ses parents en danger.

Je fabule, dis-tu. S'il y a quelqu'un qui sait faire la différence entre la réalité et la fiction, c'est moi. Oui, je vis continuellement dans l'imaginaire, dans l'invention, dans les fausses identités. Oui, le mensonge fait partie de mon existence. Mais quand je tente de mettre à jour la vérité, comme je le fais avec toi, je ne joue plus au romancier. Nos vies différentes montrent bien que notre sens du réel et de la fabulation nous oppose. Toi, comme comptable, tu n'es pas habitué à la fantaisie, à l'invention, à moins que tu sois un de ces *pégreux* qui tiennent deux séries de livres pour camoufler les vrais revenus au fisc. Mais je ne te vois pas parmi ceux-là. Admets que la création n'est pas ton fort. Tu veux des faits ! Que des faits ! Comme dans *Dragnet* !

La réalité dépasse les faits. Parfois les apparences ne sont que des illusions. Questionne un peu les « faits » que tu crois inébranlables. Ça pourrait nous faire avancer.

Robert D

• 31 •

Miami, 15 avril 1991

Coucou, es-tu là ?

Je suis sans nouvelles de toi depuis ma dernière lettre, celle du 6 mars. Es-tu bien ? Le cœur ? J'espère que tu n'es pas insulté par mes propos sur Marie-Hélène ou les comptables. Je n'ai rien écrit d'offensant à ton égard. Si ta sœur a été malmenée par Picard et Elward, ce n'est pas de sa faute : elle est leur victime. Rien ne me laisse croire qu'elle a provoqué cette situation.

L'agissement de ces deux trous de cul est déplorable. Ils ont marqué tous les enfants du quartier. C'est étonnant que tu n'en aies jamais eu vent.

J'ai vu Pierre Pichette lors de mon passage à Montréal récemment. C'était un hasard, je marchais sur Sainte-Catherine quand il m'a mis la main sur l'épaule. Tu te souviens de lui ? Un maigrichon aux lunettes de corne. On l'appelait Barniques. Une vraie pie. Tu te rappelles qu'il parlait tout le temps ? On a jasé un peu, de nos années de jeunesse, comme de raison. On n'avait rien d'autre en commun. Il a quitté Villeray un an avant moi. Ses parents n'aimaient pas le quartier. « Surtout le fou au masque à gaz, m'a-t-il dit, puis Picard, son chien de poche ». Ces deux-là auraient eu, avec lui et ses deux sœurs, des comportements à caractère sexuel. Et à plusieurs reprises. Rien de bien grave, mais significatif tout de même. Ses parents seraient allés se plaindre à la police, qui les aurait plus ou moins pris au sérieux. « Vous pouvez toujours déménager », leur aurait dit un flic. À l'époque, on n'avait pas le souci de ces choses comme aujourd'hui. En 1949, on ne parlait pas encore des frères Mets-ta-main. Il a fallu attendre la Révolution tranquille pour révéler ces comportements déviants.

Enfin, voilà. Je me demande pourquoi tu ne m'as pas écrit encore. Dans le passé, tu étais plus prime et spontané.

Je n'ai pas le choix. Je dois attendre ta réponse. J'espère seulement que c'est uniquement ton amour propre froissé qui te rend silencieux.

Robert D

P.-S. – Je cherche encore la lettre de Michelina. Mes documents sont restés chez mes parents, et ils les ont entreposés. Je ne sais même pas où. Ma tante m'a dit, entre deux crises d'Alzheimer, qu'elle essaierait de trouver où ces choses sont enfouies. *Good luck !* Après la mort de mon père, ma mère a vidé l'entrepôt et dispersé son contenu chez mes oncles et mes tantes. Elles sont peut-être encore chez ma vieille tante cinglée. Faut que je me rende chez elle pour fouiller sa cave.

• 32 •

Long Island, NY, 27 mai 1991

T'es où ?

Deux lettres que je t'envoie, trois même, sans réponse. Ça commence à faire ! Ou bien tu es mort ou bien tu as décidé de ne plus correspondre. Ça me fait penser aux petits Chinois qu'on achetait dans notre jeunesse. Mon père avait toujours peur qu'ils se ramassent alignés devant notre porte : Ding ! Dong ! « C'est nous ! » « Tu nous as payés, on est venus collecter ! »

Ben moi, tabarnak, tu m'as réveillé alors, RÉPONDS !

C'est ma dernière lettre, ostie ! Ou bien tu m'écris, ou bien c'est fini !

Et tu ne sauras jamais ce qui m'est réellement arrivé dans les années 50 !

Michelina ? L'homme au masque à gaz ? Picard ? C'est de la petite bière à côté de la vérité ! Des corps trouvés dans un boisé ? Rien ! Réveille, mon maudit ! Tu m'as mis sur la piste de moi-même, tu ne peux pas te cacher maintenant ! Je suis sur le point d'exploser. Sur le petit bord !

Quarante ans à se chercher, l'obscurité sécuritaire tout autour, le gouffre devant soi.

Je n'en peux plus de louvoyer avec la vérité ! Pars pas en peur, je ne la connais pas plus que toi, mais avant que tu ne communiques avec moi, en 1990, je ne me posais aucune question ! Des problèmes ? J'en avais pas ! Je fuyais, bien entendu, mais ça ne m'effrayait pas. Étrangement, décâlisser ne me dérangeait pas. Mais là, tu m'écris des histoires de chat et tout se met en branle. Câlisse ! Tu peux pas faire ça au monde !

R

• 33 •

2 août 1991

Salut,

Tes lettres sont bien arrivées, mais je ne les ai ouvertes que ce matin. Désolé.

Éric s'est suicidé le 28 février. C'est Nathalie qui l'a trouvé pendu dans sa chambre. J'ai passé une semaine à l'hôpital en observation. Les funérailles ont eu lieu sans moi. Je suis une loque, une ruine, un débris.

Jamais je n'aurais pensé qu'on puisse souffrir autant sans en crever. Mais je n'ai pas le courage de faire comme lui. De toute façon, j'ai déjà essayé, ça n'a pas marché.

Marie-Louise va encore plus mal que moi. Elle en fait presque pitié. Elle croit que c'est de sa faute. Elle se trompe, c'est de la mienne. Elle a rompu avec son *chum* et s'est installée dans un petit appartement. Nous nous parlons de temps en temps au téléphone. Elle pleure, je l'écoute. Puis je raccroche, et je braille à mon tour.

Nathalie ne met plus les pieds ici. Je la comprends.

Je vais partir moi aussi.

Depuis quelques semaines, je reçois des appels étranges. Je décroche, personne au bout de la ligne, ou à peine un souffle, et c'est tout. C'est lui qui m'appelle de là-haut pour me punir de l'avoir négligé.

MINOU

Tous nos radotages à propos de Michelina et du reste, ça n'a plus vraiment d'importance.

Un conseil : rapproche-toi de tes enfants.

Jean-Luc

• 34 •

Arlington, Mass., 21 août 1991

Jean-Luc,

J'ai mis une semaine à t'écrire. J'ai reçu ta lettre à Baltimore, avant de me rendre à Annapolis, Richmond et Arlington. À chaque arrêt, j'ai tenté de trouver une réponse appropriée. Ça n'est pas venu. Ce soir, ça semble tout aussi impossible. Peu importe où on est dans le monde, une telle nouvelle ne se prend pas facilement. Mais je ne peux pas rester muet.

La mort, désirée ou non, n'est pas une solution. On entend souvent dire que le fait de sortir du placard – mettons pour un homosexuel – est si troublant, que le suicide est la seule issue concevable. D'autres prétendent que c'est la confrontation avec un événement malheureux du passé ou du présent qui est inacceptable pour le cerveau. J'ai connu des lutteurs qui, confrontés à des révélations sur leur utilisation de stéroïdes anabolisants, ne pouvaient pas faire face à la réalité. Il y en a même qui soutiennent que les motifs du suicide sont familiaux, ou sont le fruit de rapports personnels ayant mal tourné. D'autres croient que parce qu'ils ont un mauvais résultat en classe ou un échec en affaires, ils méritent la mort.

Personne n'est responsable d'un suicide, que ce soit à cause d'un mot, d'un comportement, d'une action ou d'autre chose. Seule la victime est maîtresse de son sort. Il n'y a rien de mal à dire ça. Il y a des gens qui souffrent de maladies physiques douloureuses et évolutives. Que dire, alors, de tous ceux qui échouent leurs cours, ou leur examen du Barreau, ou leur vie de couple, ou je ne sais quoi, qui continuent à exister normalement ? Que dire de ceux qui reviennent de la guerre, amputés, aveugles, mutilés de la pire façon, qui persistent à vivre ? Que dire des pauvres, des démunis, des sans-abri qui survivent ? Ou encore de ceux qui perdent tout : enfants, famille, emploi, réputation, qui se refont une vie ?

Non, soyons clairs, le suicide ne dépend que du suicidé ! Il n'y a rien de dégueulasse à affirmer ça. Un individu a le CHOIX, personnel, privé, de sa vie ou de sa mort. Considérer son geste comme un acte de folie, de maladie ou de perte temporaire de rationalité N'A AUCUN SENS. Chacun a le droit, à mon avis, de décider de son destin, de son sort. Il est le seul à pouvoir dire oui ou non à la vie.

J'ai déjà lu un livre qui prétendait que l'État cherchait, par tous les moyens, à protéger son contrôle sur le peuple par un contrôle sur les corps. Refus du meurtre, santé à tout prix, contrôle sur la sexualité, l'absorption de drogues, d'alcool ou de tabac. L'État a besoin de corps en santé ! De cette façon, le suicide est un acte anarchiste. Il est illégal de s'enlever la vie : le suicide est considéré comme UN CRIME !

Bullshit !

L'humain a le droit de vivre, de se battre ou de mourir.

Je sais que ce discours-là n'est pas fait pour mettre un baume sur tes blessures. Pour moi, la seule façon de respecter ton fils, et son CHOIX, c'est d'accepter son geste.

Peu importe que tu te sentes personnellement visé, ou que tu blâmes l'univers entier, la société, la famille, tes propres comportements.

ACCEPTER !

Sans comprendre, sans accuser qui que ce soit, sans chercher de raisons – toujours contredites par les agissements des uns ou des autres, qui, eux, semblera-t-il, ont su surmonter les difficultés, bla-bla-bla –, sans attribuer son acte à la maladie, à la folie ou à des causes extérieures.

Un autre auteur a écrit qu'il arrive un temps où le désespoir est si fort que le cerveau n'a plus la capacité de faire la part des choses. Il subit un court-circuit, il n'est plus en contact avec la réalité. Je ne suis pas d'accord ! Le suicide est le geste le plus grave, le plus intense qu'un individu puisse accomplir. C'est le choix le plus personnel, le plus intime, le plus SOLITAIRE.

Bon ! Je ne veux pas t'interdire de pleurer, de crier contre l'injustice, de chercher où est l'erreur, ou même de te l'attribuer.

Tu dis que l'événement t'a tellement affecté que tu as passé une semaine en observation à l'hôpital. Je te crois, mais cela te concerne plus que lui. TU as souffert ! TU as pris sur toi cette mort. Tu sembles en avoir bavé plus que LUI !

Tu n'as pas le « courage » de faire comme lui, ajoutes-tu ? Tu as même essayé, sans succès. Récemment ? Il y a longtemps ? Je ne sais pas. Mais le courage, tu l'as eu ! T'es juste pas aussi compétent...

Tu vas « partir toi aussi » ! C'est quoi ça ? Un avis de suicide ? Une annonce de voyage ? Pour oublier ? Je t'avertis, tu N'OUBLIERAS JAMAIS. QUOI que TU FASSES ! C'est sans retour. Définitif. Permanent.

Bon, voilà. Une montée de lait. Mais je t'affirme qu'elle est très sympathique. Empathique, comme on dit aujourd'hui. Tu n'as rien à te reprocher OU À LUI REPROCHER ! Tu dois seulement accepter son geste et continuer ta vie. Peinture sa chambre, change les meubles, dévisse le crochet où il s'est pendu.

Puis, oublie ça.

Ce sera impossible, mais laisse-le partir. C'est ce qu'il voulait.

Les pires victimes d'un tel acte ne sont pas les suicidés, mais ceux qu'ils laissent derrière eux.

Je sympathise avec toi. Je pense à toi. Je n'ai pas de réponse, mais je sais que tu as tout fait pour lui. Tu n'es responsable de rien !

Robert Daigneault

P.-S. – À propos de tes appels anonymes, j'ai une idée, moi, d'où ils viennent. Je me méfierais.

• 35 •

2 octobre

Mon cher Robert,

Merci pour tes encouragements. Ils me vont droit au cœur. Dommage que mon cerveau soit moins réceptif. Tu répètes ce que tout le monde me dit : ce n'est pas de ta faute ! Tu as fait tout ce que tu as pu ! J'ai entendu ça de la bouche de ma sœur, de la bouche de mon frère, de celle de mon médecin. Même de ma femme, certaine que c'est plutôt de sa faute à elle. Belles paroles inutiles. Éric n'a pas décidé librement de se suicider. Il s'est suicidé à cause de sa dépression. Il ne voyait plus clair. Alors, ne viens pas me parler de choix lucide. Je suis son père, mon crime, c'est de n'avoir rien fait pour l'aider à s'en sortir. Il aurait fallu que je le traîne à l'hôpital et que je le force à se faire soigner. Je ne l'ai pas fait. Je ne me le pardonnerai jamais !

Nous vivons à une époque où la culpabilité est considérée comme un défaut, une malformation, une tare. Moi, je pense au contraire qu'il est sain de se sentir coupable quand on l'est, d'avoir des remords quand on a mal agi ! Avec mon fils, j'ai mal agi. Par mon inaction, par mon aveuglement, par mon silence.

Je constate que tu t'inquiètes sincèrement de mon sort. Merci de ton amitié, mais tu ne peux pas grand-chose pour moi, sinon m'aider à finir l'enquête que nous avons commencée le 6 décembre 1989. Ne crains rien, je ne vais pas me tuer. Mon suicide raté est un événement très ancien. J'avais à peu près l'âge d'Éric, seize ans. Je te raconterai mon histoire un de ces jours.

Ces derniers mois, j'ai reçu beaucoup d'aide. De ma sœur et de mon frère surtout. Nous avons beaucoup parlé de notre enfance. Une chose que je peux te dire avec une absolue certitude, c'est que nous n'avons pas été agressés par Charles Elward. Nous l'avons été par nos parents, et surtout par notre père. Il ne s'agissait pas d'agressions sexuelles, mais psychologiques. Je ne peux plus me le cacher, j'ai eu une enfance terrible. Probablement autant que la tienne, sinon plus. Impossible de nier le lien direct entre mon éducation et ma tentative de suicide à l'adolescence. Et ne viens pas me dire que j'étais libre et que mon père ou ma mère n'étaient coupables de rien ! Comme moi en ce qui concerne Éric.

Rappelle-toi que j'ai besoin de toi pour éclaircir le mystère de la disparition et du meurtre de Michelina. Pour toi, il n'y a plus de mystère : ses parents l'ont mis à l'abri et elle vit toujours. Tu vas devoir travailler un peu plus fort pour m'en convaincre. De mon côté, je vais pousser mes recherches. Ma seule raison de vivre est de réparer l'injustice dont je t'ai déjà parlé. Ça paraît contradictoire, car dans ma dernière lettre je disais le contraire. Eh bien ! Je me trompais !

J'attends ta réponse avec grande impatience.

Jean-Luc

P.-S. – La maison d'Outremont est vendue. Je m'installe dans un petit deux et demi meublé sur la rue Crémazie dans Villeray. La seule vue que j'aurai désormais sur le monde extérieur, c'est le boulevard Métropolitain. Eh oui ! Je me rapproche des lieux du crime. Ma nouvelle adresse est écrite sur l'enveloppe. Finie, la comptabilité ! Au diable, les colonnes de chiffres ! Mes économies vont s'épuiser lentement, tout comme moi ! Je vais mourir un peu moins riche, mais en faisant ce que j'ai toujours voulu.

• 36 •

Boston, 15 octobre 1991

Salut Jean-Luc,

Content de voir que tu veux encore correspondre.

Interprète mes propos à ta guise, je n'ai écrit que ce que je pensais. Moi aussi, j'ai vécu le suicide d'un être proche, et je t'ai fait part de mes réflexions. À chacun sa croix. Bref, je ne voulais pas te dire quoi faire ou penser.

Une chose me rassure : tu n'es pas mort ou mourant. Ton projet de mener à terme notre quête – parce que je l'ai endossée, même si je ne crois pas que Michelina soit décédée – va continuer. Je ferai mon possible en fouillant mes souvenirs, en faisant des recherches, si je suis en mesure de le faire.

Je vois que la mort d'Éric t'a emmené à prendre des décisions radicales. Pour un homme qui délaisse la comptabilité, tu as su tirer un bilan sans concession. La rupture avec ta femme, la vente de ta maison, ton déménagement sont des gestes définitifs. J'espère que tu as fait les bons choix. Moi, je suis content de te dire, même si ça te frotte dans le mauvais sens du poil, que tout va bien avec ma blonde. Il arrive, bien entendu, qu'on soit séparés, à cause des plans de la compagnie, mais c'est toujours temporaire. Les circuits de spectacles se recoupent, les engagements peuvent se suivre, le mardi, le mercredi, sans qu'on soit sur le même ticket. Moi une journée, elle le lendemain, pendant que je transite vers une autre ville – parfois, le terme est fort car ce ne sont que des villages glorifiés –, et le jeudi, on se retrouve ensemble.

J'ai d'ailleurs appris qu'elle est enceinte. Pas de moi, bien sûr. Ni pour vrai ! Sans blague ! Elle luttera supposément *en balloune* (d'un bellâtre qui ne l'aime pas, selon le scénario). Elle sera blessée, dans quelques mois, et avortera. DE LA MAIN MÊME DU GÉNITEUR QUI SE SERA FÂCHÉ CONTRE ELLE ! Elle va l'aider dans un combat en enfargeant son opposant, mais il perdra quand même. Enragé, il va la *slammer* sur le tapis. Il va pleurer, s'excuser jusqu'à l'hôpital (filmé dans l'ambulance), et faire les cent pas dans le couloir, inquiet. Finalement, à peu près deux mois après le *slamming*, il apprendra qu'elle n'a jamais été enceinte : elle portait des prothèses pour grossir, afin de se l'attacher – un futur bébé menotte les hommes. Dans un autre rôle, elle deviendra lesbienne et luttera en équipe avec Sweet Mary Jane ! Ne me demande pas comment elle aurait porté à terme un coussin, ce n'était pas dans le scénario ! Ma vie est un conte !

Autre chose dans ta dernière lettre m'a fait réagir. L'aveu que ton père t'avait agressé. Pas « sexuellement », écris-tu, mais psychologiquement. Cette agression, vers l'âge de seize ans, t'aurait mené à une tentative de suicide. Mes conclusions sont-elles erronées ? Dis-le-moi. Tu m'as tout caché à cette époque. Est-ce qu'on s'écrivait à ce moment ? Sans doute pas. Tu n'as rien dit à la marche de McGill Français, ni dans nos autres rencontres. Et tu m'accuses d'être cachottier ! J'ai l'impression de ne pas vraiment te connaître.

Selon moi, il pourrait y avoir un lien entre le suicide de ton fils et ta propre tentative d'en finir. Ce n'est pas nécessairement héréditaire, mais tu sais, les liens du cerveau, neurones, synapses et tout, sont plus forts que les rapports affectifs.

Cela dit, je t'encourage à continuer et, si possible, accélérer tes recherches. Tu es dans une position te permettant de découvrir le véritable sort de Michelina, de Picard, de Plamondon et de son enquête. (Je t'avais demandé de ne pas l'appeler, mais l'enjeu semble en valoir la peine. Je n'ai rien à redouter. Alors vas-y, fonce !) Tu as décidé de te consacrer à cette cause, lâche pas !

O.K. ! Je dois te laisser, l'accessoiriste m'attend. Mon costume doit être modifié. Ne t'inquiète pas, je ne fais pas d'embonpoint, c'est une autre partie de mon corps qui sera transformée.

Robert

• 37 •

Montréal, 6 novembre 1991

Bonjour Robert,

D'abord, en toute amitié, deux mises au point :

1 – quand j'ai fait ma tentative de suicide, en 56, nous ne nous étions ni vus ni écrit depuis quatre ans au moins. Je suis très étonné de tes doutes à ce sujet.

2 – Quand nous nous sommes revus à McGill français, en 69, je n'y pensais même plus. Je m'étais convaincu que la profession de comptable allait m'assurer une existence heureuse !!! Les psychiatres appellent ça du refoulement. Je ne t'aurais jamais parlé de mes ambitions ou de mes déceptions, d'autant plus qu'en ces temps de grande agitation sociale, nous étions politiquement aux antipodes. Lors de nos rares conversations (nous nous sommes revus deux ou trois fois), ou bien nous nous affrontions à propos de l'actualité, ou bien nous cherchions un terrain d'entente en évoquant notre enfance dans Villeray. Nous avons d'ailleurs à peine parlé de Michelina. De toute façon, tu avais à ce propos bien des choses à cacher. Nous nous sommes de nouveau perdus de vue, sans regret de ma part.

Mais j'en viens au sujet qui nous rapproche aujourd'hui.

Ma première démarche a consisté à me renseigner auprès de l'administration des cinq principaux cimetières montréalais : Côte-des-Neiges, Saint-François-d'Assise (cimetière de l'Est), Mount-Royal (protestant), Westmount et Ahuntsic. Les Martucci pouvaient en effet être juifs. Aucune personne du nom de Michelina Martucci n'a été enterrée à l'un de ces endroits, ni en 1951, ni depuis. Il n'y a d'ailleurs de Martucci qu'à Côte-des-Neiges et Saint-François-d'Assise, et respectivement depuis 1954 et 1953, aucun auparavant. Ce qui ne prouve rien, mais renforce ta thèse, selon laquelle le torse retrouvé en mars 1951 n'était pas celui de Michelina. Elle pourrait bien sûr avoir été inhumée ailleurs, si, par exemple, ses parents avaient déménagé dans une autre ville. N'ayant aucun souvenir des prénoms de ses parents ou du nom de fille de sa mère, il m'a été impossible de vérifier si ces derniers sont à Côte-des-Neiges. S'ils sont morts, cela va sans dire. Mais tout ce que je viens de te dire a vite été remis en question. Tu vas comprendre.

Seconde démarche : retrouver Albert Plamondon. Au fil de mes appels téléphoniques, je suis tombé sur son petit-fils, qui s'appelle Victor – avoir su, je n'aurais pas commencé par les A, mais par les Z –, qui m'a appris que son grand-père, ancien inspecteur de la police de Montréal, vit encore, qu'il est veuf, et jouit d'une bonne santé malgré ses 83 ans bien sonnés. Il n'a pas voulu m'en dire davantage, mais m'a fourni les coordonnées de sa mère, Anne Dumas, née Plamondon, fille aînée d'Albert. Elle vit à Saint-Hilaire avec son mari. Je lui ai téléphoné, elle a accepté de me rencontrer. Je suis allé chez elle, notre entretien s'est très bien passé. J'ai joué franc jeu en lui révélant mon désir de discuter avec son père d'un dossier datant des années 50. Sans entrer dans les détails, j'ai manœuvré avec une certaine habileté, si bien qu'elle m'a emmené chez son père, qui vit dans une résidence pour personnes âgées à Saint-Bruno-de-Montarville. La fille a assisté à la conversation, qui a duré plus d'une heure et demie.

Albert Plamondon est un solide vieillard de presque six pieds, bâti comme une armoire à glace. L'usure de l'âge a cassé sa grosse voix de baryton, qui m'avait tant impressionné il y a quarante ans. Il a les idées claires et parle sans mâcher ses mots. Avec lui, pas de longue phrase, pas d'hésitation. On pose une question, s'il connaît la réponse, il donne l'heure juste. Sinon, il se contente de hocher la tête en avouant qu'il ne sait pas ou ne se souvient pas. Mon nom lui a immédiatement mis la puce à l'oreille. Quand j'ai prononcé celui de Michelina Martucci, son corps s'est tendu comme un ressort. « C'est *toé*, le p'tit gars ? » Il n'a pas terminé sa phrase, un long silence a suivi. Il s'est levé et s'est planté devant la fenêtre. Sa fille me regardait comme pour dire : « Qu'est-ce que vous venez de faire à mon père ? ». J'ai tenté de détendre l'atmosphère en ajoutant que cette affaire m'avait beaucoup marqué dans mon enfance, que je venais seulement d'être mis au courant de faits inconnus de moi jusqu'à présent (tu vois à quoi je veux en venir), faits que je désirais vérifier auprès d'une autorité compétente. La fille hochait la tête comme pour m'approuver, mais lui demeurait plongé dans ses pensées. J'ai justifié ma démarche en disant que j'allais publier un livre sur l'affaire Martucci. Il était extrêmement important de confirmer tous les faits et, à mon sens, personne mieux que lui ne pouvait m'empêcher de m'engager sur de fausses pistes. Mon explication l'a apparemment convaincu. Il s'est rassis et, dans l'heure qui a suivi, nous avons fait le tour du dossier, dont il se souvient très bien, car, de son propre aveu, cette histoire a marqué sa carrière. Je regrette maintenant de n'avoir pas enregistré notre conversation. Je suis sûr qu'il aurait accepté. Inutile de te dire que j'avais préparé toute une liste de questions, dont certaines viennent d'ailleurs de tes suggestions. Je résume en y allant au cas par cas. Mes notes sont étalées sur la table, je vais essayer d'y mettre de l'ordre.

La famille Martucci

Le père s'appelait Giuseppe, la mère, Michela Di Stefano. Il avait environ dix ans de plus qu'elle. Elle est née à Montréal, lui à Milan, en Italie. Il a brièvement combattu dans l'armée italienne à la fin de la Première Grande Guerre. À ce moment-là, l'Italie était alliée à la France et à l'Angleterre. Ensuite, il a surtout vécu à Rome où il était professeur de français dans un collège. Hostile au régime fasciste de Mussolini, menacé de congédiement et d'emprisonnement, il a émigré au Canada en 1934. Giuseppe et Michela se sont mariés en 1937 ou

38. Leur fille Michelina est née le 3 janvier 1940. Albert Plamondon m'a fourni tous ces détails sans la moindre hésitation, ce qui est assez remarquable, tu l'avoueras. Je lisais une certaine émotion dans son regard tandis qu'il évoquait le passé des Martucci. Je pense qu'il s'était beaucoup attaché à eux et avait partagé une grande part de leur désarroi, peut-être parce que sa fille avait le même âge que la leur. Une semaine après la disparition de Michelina, Giuseppe est parti pour Ottawa, où il venait de décrocher un poste d'interprète au ministère des Affaires étrangères. Ce déménagement, prévu depuis deux mois, s'est fait avec l'assentiment de la police, qui est toujours restée en contact avec les Martucci. On sait que leur « disparition » est longtemps demeurée un mystère aux yeux des journalistes. Évidemment, ce silence ouvrait la porte à toutes sortes de rumeurs. Mais Plamondon, qui n'aimait pas trop que les journaux se mêlent de son enquête, ne voyait pas d'un mauvais œil que les journalistes pataugent un peu. Au début, Michela est demeurée à Montréal, chez son frère, sur la rue Dante dans la petite Italie. Son mari revenait de temps en temps. Quand le torse de Michelina a été retrouvé, les Martucci ont quitté définitivement Montréal. Les restes sont donc enterrés à Ottawa, où repose également Giuseppe Martucci, qui est mort en 1958, à l'âge de 59 ans. Plamondon a appris la nouvelle de la bouche de Michela, à qui il venait d'apprendre que le dossier Martucci venait d'être déposé sur une tablette. Plamondon ignore ce qu'il advint ensuite de Michela Di Stefano, veuve Martucci.

La disparition

La disparition de Michelina a été signalée à la police dans la soirée du dimanche 24 septembre 1950. Les premières recherches ont commencé pendant la nuit du 25. Le 26, l'enquête a été confiée à l'inspecteur Albert Plamondon. Ce dernier n'a jamais cru à l'hypothèse d'une fugue. Après avoir fait le tour du voisinage dans les jours suivants, il a acquis la conviction que le jeune Jean-Luc Dupré, 10 ans, avait été la dernière personne à voir Michelina Martucci avant sa disparition. Je te raconterai plus loin comment il a réagi quand je lui ai fait part de ton histoire à propos de Charles Elward et Marcel Picard. Ni les Martucci, ni la police n'ont reçu de coup de téléphone ou de message quelconque de la part de ravisseurs en quête d'une rançon. D'ailleurs, les Martucci étaient loin d'être riches. Tous les membres de la famille, toutes les connaissances du père et de la mère et même les religieuses de l'école Saint-Alphonse ont été interrogés. Quelqu'un aurait pu vouloir se venger des Martucci en enlevant leur fille. Cette piste n'a jamais rien donné. Des photographies de la petite ont été publiées dans les journaux et placardées dans tous les commerces du quartier, puis dans toute la ville. Des appels ont été lancés à la radio. Rien à la télé... qui n'existait pas encore.

Les gens qui se sont manifestés en prétendant avoir aperçu Michelina ont été interrogés, mais leurs témoignages n'ont pas été retenus. Les habitants du voisinage qui possédaient un dossier judiciaire comportant des condamnations pour crimes violents ont fait l'objet d'une certaine surveillance (pas très serrée, confesse Plamondon, étant donné les moyens limités qui lui étaient accordés). La police a ratissé le parc Jarry et le parc St-Alphonse de même, tiens-toi bien, que le petit bois Saint-Hubert. Tout ça sans succès. Je devine la question que tu te poses. Attends la suite.

La découverte du cadavre

Le jeudi 29 mars 1951, vers seize heures quarante-cinq, deux garçons de huitième année de l'école Saint-Gérard font une découverte macabre dans le petit bois Saint-Hubert : partiellement enfouis dans la neige, les restes d'un corps. Ils croient d'abord avoir affaire à un animal et remuent la neige. Panique ! Il s'agit d'un corps humain. Comble de l'horreur, un corps décapité. Ils prennent leurs jambes à leur cou en jurant de ne parler à personne de leur épouvantable découverte... Trois heures plus tard, la police, appelée presque simultanément par les parents des deux gamins, se précipite sur les lieux. La nuit est tombée, la scène est éclairée et isolée, un large périmètre de sécurité est établi. Le capitaine Plamondon arrive sur place vers dix heures et demie.

La question que nous nous posons, Plamondon se l'est posée dès le départ : comment se fait-il que le cadavre n'ait pas été repéré dès septembre ou octobre 1950, quand le petit bois Saint-Hubert a été passé au peigne fin par toute une équipe de limiers ? Une seule explication : le cadavre démembré a été laissé là plus tard. Première possibilité : la petite Michelina Martucci – car il ne douta pas un instant qu'il s'agissait bien d'elle, et l'autopsie effectuée par le médecin légiste ne put démontrer qu'il pouvait s'agir d'une autre petite fille. Le groupe sanguin de la victime était d'ailleurs compatible avec ceux des parents – avait été tenue en captivité pendant un certain temps par son ou ses ravisseurs, assassinée ensuite, puis décapitée et démembrée, le torse étant déposé par la suite là où on l'avait découvert. Deuxième possibilité : elle avait été assassinée le soir même de sa disparition, ou peu de temps après, découpée en morceaux, conservée au froid pendant un laps de temps suffisant pour que les recherches effectuées après la disparition n'eussent donné aucun résultat. Le torse aurait été transporté dans le bois après le passage des enquêteurs, le reste du corps ailleurs. Parmi les diverses hypothèses, voici celles que Plamondon considérait à l'époque, et encore aujourd'hui, comme démontrées ou plausibles.

La présence de quinze centimètres de neige SOUS le cadavre et l'état de détérioration relative de ce dernier démontrent qu'il a été déposé à cet endroit entre le 25 novembre et le 3 décembre 1950. Il y eut, en effet, cette journée-là, une grosse bordée de neige suivant celle, moins importante, du 25 novembre. Tempête qui aurait recouvert le torse. Il n'est d'ailleurs pas impossible que le ou les assassins aient justement profité de ces circonstances météorologiques favorables pour se débarrasser du morceau le plus volumineux. En mars 1951, la neige avait fondu et, bien que les lieux aient été scrutés à la loupe, on ne retrouva aucune trace du passage des coupables. Conclusion :

entre le jour de sa disparition, le 23 septembre 1950, et celui de son assassinat fin novembre ou début décembre 1950, Michelina Martucci avait été tenue en captivité pendant plus de 60 jours. Autre hypothèse : elle aurait été tuée dès le départ, puis conservée au froid quelque part. La chose est possible. Plamondon n'y croit pas.

Autre élément capital : l'autopsie a aussi démontré que l'hymen de Michelina avait été rompu, sans qu'il soit possible de déterminer à quel moment. Aucune trace de sperme n'a été retrouvée dans son vagin. Une preuve de viol aurait donc été très difficile à établir. Pendant ses deux mois de captivité, elle a peut-être été violée, mais a pu subir aussi bien d'autres formes d'abus.

Le meurtre

L'enquête a pris une nouvelle tournure. Il s'agissait désormais d'un meurtre suivi de mutilation de cadavre. Toutes les personnes interrogées en septembre et octobre le furent de nouveau. Plamondon m'a tout expliqué en long et en large, mais je le sentais de plus en plus impatient. Il s'est arrêté au milieu d'une phrase : « Tu m'as parlé d'éléments nouveaux. C'est à ton tour !

– D'accord, mais pourriez-vous me dire d'abord si, pendant la première enquête sur la disparition et la seconde sur le meurtre, vous avez pu identifier un ou des suspects ? »

Il n'a pas répondu tout de suite.

« Je ne veux pas te donner de noms, mais… oui, il y a eu trois suspects.

– Que vous ne pouvez pas nommer ?

– Que je ne VEUX pas nommer. Ils ont été innocentés, c'est-à-dire… qu'il a été démontré, après enquête, qu'ils ne pouvaient pas être les coupables. Si j'avais eu le moindre soupçon sérieux, j'aurais porté des accusations, au risque que le prévenu soit acquitté au procès. Mais… non… c'est pas ça qui est arrivé. La mort de la petite Michelina est toujours demeurée un mystère. J'y ai pensé pendant des années. Et comme tu peux le constater, j'ai pas enfoui ça très creux dans ma mémoire. »

La fille buvait les paroles de son père et hochait la tête.

« Ça a été une vraie torture pour papa. »

Le moment était propice. Alors, plutôt que de me lancer dans de longues explications, je lui ai montré des extraits de quatre de tes lettres que j'avais photocopiés, puis découpés pour enlever les passages trop personnels. Je les insère afin que tu puisses mieux comprendre le déroulement de la conversation. Désolé de t'imposer cette épreuve.

Plamondon a eu l'air surpris : « Tu veux que je lise ça ? ». J'ai fait signe que oui. Il a refilé les quatre feuilles à sa fille et lui a demandé de lire à haute voix, ce qu'elle a fait, avec une certaine difficulté, car ton écriture n'est pas toujours lisible. Il l'interrompait de temps à autre et lui demandait de relire un passage, puis réfléchissait un moment avant de l'autoriser à poursuivre. Plus on avançait, plus je le sentais agité.

EXTRAITS DES LETTRES DE ROBERT :

• • •

Pittsburgh, 22 avril

[...] Je sais bien que tu n'as rien eu à faire avec la disparition de Minou. Ce soir-là, j'étais en visite chez ma tante, qui demeure sur Guizot, et je m'apprêtais à aller te saluer lorsque je t'ai vu avec Minou. Puis, j'ai entendu la voix tonitruante de ta mère t'ordonner d'aller faire tes exercices de maths. Elle m'avait déjà chassé quand j'étais passé un soir que tu étais chez les louveteaux. Je n'osais pas te déranger pendant tes devoirs. Je sais que Michelina n'est pas restée avec toi et que tu n'es pas le deuxième suspect. Après sa disparition, je n'avais plus le courage de retourner sur « les lieux du crime » comme tu clamais dans tes lettres.

Ce soir-là, j'ai eu très peur. Je ne veux pas en parler. Suffit-il de dire que j'ai vu quelque chose d'inquiétant et que je crois avoir été vu. [...]

• • •

St-Louis, 15 juin 1990

[...] Le fameux soir où je t'ai aperçu dans la ruelle, avec Michelina, avant que ta mère t'appelle pour que tu fasses tes devoirs de math, j'ai vu l'homme dans sa fenêtre. Après que tu sois rentré, au moment où j'allais sortir de l'ombre, le plus vieux des enfants Picard, Marcel, est apparu derrière la clôture de bois séparant la ruelle de la cour du gars au masque à gaz, et a saisi Michelina d'une main et lui a plaqué l'autre sur la bouche. Il l'a collée contre lui, le dos de notre amie contre son ventre. J'imagine qu'il était bandé et je voudrais, à ce jour, l'émasculer. Lentement, très lentement, avec autant de lenteur qu'il en mettait à torturer les chats et les chattes du quartier.

Il lui a fait monter l'escalier de bois menant chez le vétéran au masque à gaz.

Moi, j'ai quitté mon refuge, puis doucement, très peureusement, l'entrejambe humide, j'ai gravi les marches jusqu'à la fenêtre du capoté. J'ai levé la tête (espérant secrètement ne plus avoir de front, de cheveux ou d'oreilles) et jeté un regard à l'intérieur. Marcel était dans le coin ouest de la cuisine. Michelina était agenouillée devant l'homme au masque à gaz au centre de la pièce, la table poussée contre le mur nord. Michelina pleurait, gémissait plutôt, pendant que le fou criait à tue-tête, en anglais. J'entendais des « ... bitch... wop... killers... fascists... *», et cetera. Michelina, la tête baissée sur ses cuisses, braillait à fendre l'âme. Ému, j'ai bougé, et mon pied a frappé la poubelle de tôle. Le Vétéran et Picard ont tourné les yeux vers la fenêtre crasseuse. Je me suis lancé dans l'escalier. Quelques secondes plus tard, des cris ont fusé. «* Get him ! Get the fucker ! Don't let him get away ! *». Quand Marcel est sorti de la cuisine, j'étais déjà rendu dans la cour. J'ai couru, comme si jamais il n'y aurait de lendemain, jusqu'à la rue Guizot. Je me suis caché sous le balcon* *de ma tante, en retenant ma respiration. Heureusement, il ne savait pas où elle restait. Il est passé sur le trottoir devant la maison, puis est revenu, l'air enragé. Je l'avais échappé belle [...]*

C'est la dernière fois que j'ai vu Michelina. C'est aussi la dernière fois que je suis allé près de chez vous. J'avais trop peur de rencontrer Picard ou le vétéran au masque à gaz. [...]

• • •

Salt Lake City, 7 juillet 1990

[...] Le lendemain de cet épisode, je suis retourné chez moi à Notre-Dame-de-Grâce, n'ayant aucune intention de rester dans Villeray et de croiser Picard ou l'ancien combattant. J'ai appris par une de tes lettres que Michelina avait disparu, que la police enquêtait, mais ça, c'est au moins une semaine plus tard. Je n'ai pas tout de suite fait le lien entre la scène de la cuisine et sa disparition. J'ai cru plutôt à une fugue. Puis, tu m'as dit que son père et sa mère avaient déménagé peu de temps après. Pour moi, ça signifiait qu'ils l'avaient envoyée chez des parents pour la protéger des deux malades et qu'ils allaient la rejoindre. [...]

• • •

Captain Cook, Hawaï, 7 novembre 1990,

[...] Quatre jours après avoir vu Michelina agenouillée devant Stu ou Stewart, quatre jours après avoir été pourchassé par Picard [...], j'ai reçu une lettre de Michelina. Elle me suppliait presque de ne pas en parler.

D'abord, elle confirmait que l'Homme au Masque à Gaz et Picard m'avaient aperçu à la fenêtre. Elle m'a dit que leur but initial était de lui faire peur parce qu'elle était Italienne (du moins, d'origine italienne). Le vétéran détestait tous les wops et les voulait morts ou déportés. Des histoires de son séjour en Europe pendant la Deuxième Guerre. Ils l'ont menacée des pires sévices si elle parlait. En quittant le troisième étage, elle est rentrée chez elle et a tout raconté à ses parents qui, inquiets, l'ont immédiatement expédiée chez son oncle Ronaldo, dans la petite Italie. Ils ont ensuite fait croire à sa disparition et ont informé les policiers de l'animosité et du danger que représentaient Elwarth ou Bugwarth, et Picard. Voilà, elle se cachait dans la famille. Bien entendu, ça ne devait pas se savoir.

Crois-moi, crois-moi pas, c'est vrai ! Je t'enverrai sa lettre en passant à Montréal. C'est pourquoi je tiens à ma version. Michelina n'est pas morte, surtout pas aux mains de ces deux crapules. Et, tu as raison, il serait intéressant d'apprendre à qui appartenait ce tronc découvert dans le boisé. Mais ça, c'est le travail des policiers. [...]

• • •

La première réaction de Plamondon, après un long silence, a été de me demander : « Y voyage beaucoup ton ami ? Qu'est-ce qu'y fait dans vie ? » Je lui ai dit la vérité. « Lutteur ! C'est quoi son nom de lutteur ? » Je n'ai pas pu lui répondre, n'ayant jamais songé à te le demander. Sa fille a tenté d'intervenir, mais Plamondon lui a fait signe de se taire. J'aimerais pouvoir transcrire textuellement les paroles qu'il a prononcées ensuite, mais j'en suis malheureusement incapable. Je résume donc.

Il croit que certains éléments sont vrais dans ton témoignage. Mais d'autres lui paraissent invraisemblables. Sans doute le fait que tu les as livrés au compte-goutte, après de longues hésitations, y est-il pour beaucoup dans son scepticisme. Que tu aies vu Michelina être entraînée par Marcel Picard chez Charles Elward lui paraît possible. Mais il a du mal à croire qu'Elward ait vraiment prononcé les paroles que tu as cru entendre. Il trouve plausible que tu aies été poursuivi ensuite par Marcel Picard. Il ne croit pas une seconde à l'existence de la lettre de Michelina. Il prétend savoir de manière certaine qu'elle n'est pas retournée chez ses parents, qui l'auraient mise à l'abri et auraient ensuite fait croire à sa disparition. Si je répétais les mots qu'il a employés, tu te sentirais sans doute très vexé.

Je suis revenu à la charge : « Charles Elward et Marcel Picard faisaient-ils partie de la liste des suspects dont vous m'avez parlé tout à l'heure ?

– Un des deux, oui, mais pas l'autre. »

Duquel il s'agissait, il n'a pas voulu me le dire. Mais il a ajouté, très catégorique : « De toute façon, on a conclu qu'il n'avait pas commis le crime.

– Deux autres personnes étaient suspectes ?

– Oui.

– Vous voulez pas me dire de qui il s'agit.

– Non... Mais je vais te dire de qui il ne s'agissait pas !... Quand Giuseppe est allé travailler à Ottawa une semaine après la disparition de sa fille, des rumeurs ont commencé à courir à son sujet. Je peux t'affirmer qu'elles étaient toutes non fondées. Lui, comme sa femme, ont été longuement interrogés dès le début de l'enquête. Giuseppe n'a rien eu à voir avec l'enlèvement et la mort de sa fille. Si tu t'étais mis cette idée-là dans la tête, oublie ça ! »

Il paraissait en avoir assez, j'ai posé une dernière question : « Pouvez-vous me dire si l'une des personnes dont nous venons de parler, ou quelqu'un d'autre habitant le quartier avaient fait l'objet à l'époque de plaintes pour harcèlement sexuel ? Mon ami Robert Daigneault prétend pour sa part qu'Elward avait agressé plusieurs enfants. ».

Voici sa réponse. Je te la livre sans commentaire : « Les agressions sexuelles, c'était aussi fréquent à l'époque que de nos jours. Mais les gens avaient tendance à tenir ça mort. Pourtant, des plaintes étaient portées à l'occasion, souvent contre des prêtres ou des frères. La plupart des plaintes étaient vite retirées. Les autorités religieuses savaient comment étouffer ces histoires-là. J'me rappelle pas qu'il y ait eu de plaintes portées contre Charles Elward, mais il y en a eu contre Marcel Picard, avant même qu'il soit majeur, ça, je peux te le dire, c'est de notoriété publique. Lui, il était pas protégé par une communauté religieuse. Sa carrière criminelle a commencé très jeune. Le policier qui l'a arrêté la première fois travaillait dans mon escouade. Picard s'est vite fait une grosse réputation. Finalement, il a été condamné pour viol et assassinat en 1975.

– Mais ce n'est pas lui qui a enlevé et assassiné Michelina Martucci, vous en êtes sûr ?

– Absolument... Jusqu'à maintenant. Y faudrait que je révise le dossier. Oublie ça, j'ai pris ma retraite v'la vingt-cinq ans et j'suis trop vieux. Mais y a les lettres de ton ami le lutteur... Tu y diras de venir me voir.

– Si jamais Marcel Picard est le coupable, il a emporté son secret dans la tombe...

– Où t'as pris ça ?

– Il n'est pas mort en prison ? En 80 ?

– Pas du tout ! Il a poignardé un codétenu et, deux mois plus tard, il s'est évadé du fourgon cellulaire qui l'amenait au Palais de justice. Aux dernières nouvelles, il court toujours. »

Voilà, mon cher Robert. Je ne t'en dis pas plus pour maintenant, je suis complètement épuisé.

Jean-Luc

P.-S. – C'est quoi ton nom de lutteur ? Ah oui !... Mes félicitations à ta blonde pour sa grossesse nerveuse.

• 38 •

8 novembre 1991

Bonjour Robert,

Tôt ce matin, j'ai reçu un coup de téléphone d'Albert Plamondon. Il veut me rencontrer. Il m'aurait caché certains détails importants, qu'il est maintenant prêt à me révéler. Je le vois demain. Ne tire pas de conclusions hâtives. Ne m'en veux pas trop d'avoir montré tes lettres à Plamondon. Je pense que c'était nécessaire.

Jean-Luc

• 39 •

Wichita, Kansas, 22 novembre 1991

Salut Jean-Luc,

Je viens de recevoir ta lettre du 6 novembre et constate que tu profites de ta nouvelle vie. Tu pousses tes recherches, enfin, et ça semble porter fruit.

Tu m'obliges à revoir ma vision du passé. Wow, monte pas sur tes grands chevaux, je t'entends déjà me traiter de menteur ! Il n'en est rien. J'ai bien vu Michelina, Picard et le gars au masque à gaz que je sais maintenant s'appeler Elward. J'ai vu Michelina pleurer, le vétéran crier. J'ai cité exactement les mots qu'il a prononcés. Picard m'a pourchassé. (Merci de ne pas avoir montré à Plamondon l'épisode de mon caca dans la culotte.) J'AFFIRME, DE PLUS, AVOIR REÇU UNE LETTRE DE MICHELINA QUATRE JOURS PLUS TARD ! Dès mon retour à Montréal, je la retrouve et te la fais parvenir. Tu l'enverras à Plamondon. Sa lettre sera plus lisible que les miennes, parce qu'elle l'avait écrite au dactylo. Ça aussi, je m'en souviens comme si c'était hier.

Voici où j'ai un gros problème. Si Michelina a été kidnappée ce soir-là, comment se fait-il que j'aie reçu sa lettre quelques jours plus tard ? Je veux bien me plier aux conclusions de l'enquête de Plamondon, mais ça soulève un tas de questions.

Deuxième gros problème : si, entre Elward et Picard, il n'y en a qu'un de suspect, qui seraient les deux autres ?

Qu'est-ce qui permet à Plamondon d'exclure Elward, parce que c'est vraiment un pédophile. Je le sais de première main, ayant été une de ses victimes ! Michelina en avait très peur. Son père lui avait interdit de s'approcher de lui.

Ta lettre m'a mis dans tous mes états. Pauvre Michelina. Je l'ai toujours cru vivante, cachée par ses parents, grandissant normalement, correctement, paisiblement. Pauvre Michelina. J'étais jeune et je l'aimais, comme on peut aimer quand on a dix ans. J'essaie de me convaincre que Plamondon a raison. Mais c'est difficile. Quand tu affirmes que « l'autopsie effectuée par le médecin légiste ne put démontrer qu'il pouvait s'agir d'une autre petite fille », ça ne me convainc pas.

L'autre nouvelle qui m'énerve, c'est de savoir que Picard est encore vivant. Bravo pour les renseignements de ta sœur ! (Tu pourrais l'interroger à nouveau sur ses rapports avec l'homme au masque à gaz...) Si le vétéran n'est pas mort (je l'ai vu avec une fillette), il est âgé. Il me fait moins peur qu'avant, surtout depuis que je lutte.

Picard, lui, est à peine plus vieux que nous et il n'est pas commode ! Méfie-toi s'il est vivant ! Je pense aux appels anonymes que tu reçois !

Ça me donne des frissons dans le dos.

Finalement, je réponds à ta question (que tu as mis un bail à me poser). Voici ma photo de promotion.

RD

• 40 •

Topeka, Kansas, 25 novembre 1991

Salut Jean-Luc,

Je viens de recevoir ta lettre du 8 novembre et j'ai bien hâte de savoir ce que Plamondon t'a appris de neuf. T'a-t-il au moins révélé les noms des trois suspects de 1950 ?

J'en profite pour t'expliquer d'où vient mon nom de lutteur. Après avoir joint le cirque, la tournée nous a menés au Mexique. La lutte locale m'a séduit. La Lucha Libre, comme ils l'appellent. Pour eux, c'est plus qu'un spectacle, c'est un mode de vie. Les lutteurs sont considérés comme des héros, des dieux. Il y a même eu des films mettant en vedette de célèbres lutteurs, entre autres Santo. El Santo a enchaîné les films pendant près de trente ans, devenant peu à peu un héros populaire pour les enfants et les adultes. Son film le plus apprécié est certainement *Las Momias de Guanajuato*, où El Santo apparaît aux côtés de Blue Demon et Mil Mascaras. Mais le plus connu internationalement est *Santo vs. Las Mujeres Vampiro* produit en 1962, puis traduit en différentes langues : *Santo vs the Vampire Women*, *The Saint Against the Vampire Women*, *Samson vs the Vampire Women*, *El Santo contra Las Vampiras* et, en France, *Superman contre les femmes vampires* (!). Doté du plus grand budget de la série, *Les Femmes Vampires* introduit la mythologie d'El Santo, où le lutteur est le dernier descendant d'une longue lignée de héros qui affrontent les forces du mal. Ces films ont eu un grand succès commercial, permettant de produire les suivants, de vendre des bandes dessinées et d'ouvrir des salles de combats. La série s'est poursuivie avec

Santo et Blue Demon contre les Monstres, Santo et Blue Demon contre Dracula. Santo contre les Martiens, Santo au musée de cire, etc.

Quand j'ai commencé ma carrière au Mexique, je devais me masquer, comme la plupart des lutteurs d'ici. D'abord, j'étais blanc et pas du tout local. Ensuite, le masque me fournissait un déguisement qui me protégeait d'Elward. En plus, ça protège le visage des coupures ou des coups manqués. Une fois passé aux États-Unis, j'ai endossé l'identité de Pinocchio Loco. Ça me semblait logique : menteur et fou. Je pouvais, selon les besoins, changer d'identité en changeant de masque : des crânes, des cagoules, des costumes plus colorés les uns que les autres.

Quand je t'ai dit que l'accessoiriste m'attendait, c'était pour m'allonger le nez ! Je venais de trahir mon partenaire (parce que je combats en équipe) et on en a profité pour me refaire le pif.

Voilà, tu sais tout !

RD

P.-S. – J'ai même combattu avec un masque à gaz ! Une façon pour moi de tenter d'exorciser l'Autre ! Mais ça n'a pas duré. Les adversaires saisissaient le tube de caoutchouc et me faisaient virevolter dans l'arène. Le public trouvait ça très drôle. Moi, moins.

• 41 •

3 décembre 1991

Cher Pinocchio Loco,

Ta lettre du 22 en réponse à la mienne du 6 vient d'arriver. Il était temps ! Tu es déjà au courant, par mon bref message du 8, que j'ai revu Albert Plamondon le 9. Depuis cette date, je vis sur des charbons ardents. J'ai dû me retenir à trois mains pour ne pas t'écrire dès le lendemain. La tentation était très forte, mais je me suis cramponné à l'idée qu'il fallait te laisser digérer les informations initiales avant de t'en servir une autre pleine marmite. J'ai aussi fait, pendant mes quatre semaines de diète épistolaire, d'autres découvertes intéressantes. Tu vas voir, ça fait un dessert assez copieux. J'espère que tu as bon appétit.

Après mon premier entretien avec Plamondon, j'étais à la fois satisfait et déçu. Plus que déçu, malheureux. Car à peu près tout ce que Plamondon venait de me dire entrait en collision frontale avec ta version. Rien ou presque rien ne concordait entre tes propos sur Elward, que tu aurais revu plus tard dans NDG, qui te poursuivrait encore jusqu'au bout du monde, qui aurait agressé sexuellement plusieurs enfants du quartier, et la déclaration de Plamondon, selon lequel aucune plainte n'a jamais été portée contre le « Masque à gaz ». Tu décris Elward comme un monstre, mais affirmes du même souffle qu'il n'a ni séquestré ni tué Michelina, puisqu'après la « scène du balcon », elle a pu rentrer chez elle et rédiger une lettre dans laquelle elle explique ce qui lui est arrivé. Plamondon croit pour sa part que si cet événement s'est réellement produit, Elward et Picard sont assurément coupables. Cette lettre a donc dû être écrite par eux. Si ton témoignage est véridique, il faut conclure que Plamondon a mal mené son enquête. Et pourtant, il m'a bien dit et répété que ni Elward ni Picard n'ont pu enlever ou tuer Michelina. Même après la lecture de tes lettres, il n'en démordait pas.

Tout ce que je viens de t'exposer, je l'avais en tête en te faisant le récit de cette première rencontre. J'espérais par-dessus tout qu'après m'avoir lu, tu avoues avoir tout inventé. Voilà qui aurait résolu mon dilemme : te croire toi ou croire Plamondon. En toute logique, et malgré l'amitié qui nous lie, je ne pouvais faire autrement que suivre Plamondon. Mais rassure-toi, notre second entretien a partiellement résolu le problème.

Il m'a permis d'enregistrer notre conversation. Je transcris ses propos. Pas d'un bout à l'autre, car ma lettre ferait cent pages. Prends une bonne respiration. Je lui laisse la parole.

« C'est-tu vrai que tu vas écrire un livre sur l'affaire Martucci ? [...] Je trouve ça correct. C'est une bonne idée. Mais j'vas t'aider seulement si tu me fais une promesse. [...] C'est de publier ton livre seulement après ma mort. Il y a des choses que ma fille apprendra bien assez tôt. »

J'ai promis. Et plus j'y pense plus je trouve que c'est une bonne idée ! Qu'en penses-tu ? Un livre dont nous serions les coauteurs...

« Si je t'ai demandé de revenir me voir, c'est que l'autre jour, y a des choses que j'pouvais pas dire devant ma fille. Michela Martucci et moi, on est tombés en amour. Pas au début de l'enquête, un peu plus tard... Pour le dire, net, frette, sec : on a couché ensemble. Et pas rien qu'une fois. Cette femme-là, je l'ai très bien connue. Elle a braillé dans mes bras comme tu peux pas imaginer... Et j'ai braillé aussi. Pis tous les deux, on s'est consolés autant qu'on a pu. Passons... On a continué de se voir jusqu'au milieu des années 60. Elle est encore vivante, et on se téléphone de temps en temps. Elle vit en Ontario. Elle a 81 ans. Sa santé n'est pas très bonne. Tout ça pour te dire que j'ai été assez intime avec elle pour savoir qu'elle et son mari ne m'ont pas fait d'entourloupettes du genre de celles que ton ami

lutteur a imaginées. La p'tite Michelina Martucci, j'la connaissais pas, mais c'est comme si elle était devenue ma propre fille. Tu peux pas savoir comme j'ai travaillé fort pour trouver le meurtrier. J'en ai fait une affaire personnelle. Jusqu'à m'en rendre malade !

Si le coupable s'était trouvé parmi ceux que t'as nommés l'autre jour, je pense que je serais pas passé à côté, mais maintenant, c'est plus fort que moi... j'ai un doute. En tout cas, si j'avais pu découvrir que Charles Elward ou Marcel Picard ou les deux, étaient coupables, ni l'un ni l'autre se s'rait rendu jusqu'au pied de l'échafaud, surtout le plus jeune, qui avait pas encore l'âge d'être pendu ! [...] Je reviens au moment où la déclaration de disparition a été faite. L'affaire m'a été confiée deux jours plus tard. C'était pas une priorité dans mes dossiers, mais j'ai quand même pris les choses au sérieux.

Les Martucci avaient déjà désigné aux policiers un suspect possible, Charles Elward. La nuit même de la disparition, il a reçu la visite d'un confrère, qui, sans mandat de perquisition, a pas pu fouiller l'appartement qu'Elward habitait avec sa mère à moitié paralysée. Elward a déclaré qu'il n'avait pas vu Michelina ce soir-là.

Quand je les ai rencontrés le surlendemain, les Martucci m'ont répété la même histoire : Michelina s'était plainte deux ou trois fois que lorsqu'elle croisait Elward, il la traitait de wop, pas à haute voix, mais comme en faisant semblant de rien... en chuchotant. Y était pas le seul à faire ça, mais venant d'un adulte, et surtout cet adulte-là, qui était pas très beau à voir, ça lui faisait peur à la p'tite. Au début, les parents ont pas trop réagi, mais après deux trois fois, le père, Giuseppe, qui était un homme très nerveux et très angoissé, mais pas peureux pour deux cennes, je dirais très prime, s'est rendu chez Elward un samedi matin. Ça, c'est une semaine avant la disparition. Elward l'a pas laissé rentrer, mais y a eu une belle engueulade sur le balcon. Giuseppe a même fait des menaces, du genre « si tu laisses pas ma fille tranquille, j'vas t'arracher le peu de gueule qui t'reste. » Ça s'est passé très tôt le matin, mais j'ai pu vérifier auprès de quelques voisins qu'ils avaient effectivement entendu des cris. L'un d'eux est même sorti de chez lui et a aperçu les deux hommes. Giuseppe prétendait que son intervention avait eu l'air de faire peur à Elward. Pourtant Giuseppe était pas un homme particulièrement impressionnant. Physiquement, j'veux dire. Il était même plus petit que sa femme.

Peu importe, j'ai pu constater par moi-même, un peu plus tard, que Elward était pas un homme très sûr de lui. Je pense que ce qu'il a subi pendant la guerre l'a beaucoup traumatisé. Mais j'vas trop vite. Il faut que tu saches que le soir de la disparition, la première réaction de Giuseppe, ça été d'aller frapper chez Elward, qui a ouvert la porte, mais qui a refermé tout de suite quand il l'a reconnu. Ça aussi, au moins deux personnes en ont été témoins. Quelle a été la première chose que j'ai faite après avoir rencontré les Martucci ? Devine.

– Vous êtes allé chez Charles Elward.

– Exactement ! Tu f'rais un bon flic ! Il m'a laissé entrer. Oublie pas que ça, c'est deux jours après la disparition de Michelina... Et même si j'avais pas de mandat de perquisition, il m'a laissé faire le tour du propriétaire. Sa mère était là, assise dans un fauteuil roulant. Même si elle était pas très vieille, je pense qu'elle devait avoir à peu près cinquante-cinq ans, elle avait de la misère à parler et elle tremblait beaucoup. Les murs étaient couverts de photos, de tableaux et de posters de guerre. Y avait un p'tit salon transformé en musée militaire. Bien organisé à part de ça. Et très intéressant. Elward m'a dit que c'était des objets qui avaient appartenu à son père, qui avait fait la Première Guerre. Il a prononcé une phrase dont j'me souviens encore : « J'avais aussi un vieux masque à gaz, mais je l'ai perdu. Je pense que j'sais qui me l'a volé. »

Je me suis livré à un interrogatoire serré, puis je suis sorti de là avec la certitude qu'Elward n'avait rien à voir avec la disparition de Michelina Martucci. Pourtant, il m'avait avoué que oui, parfois, il avait prononcé le mot « wop » quand il croisait la petite fille. Mais que c'était comme malgré lui. Il avait été capturé en Sicile par des chemises noires italiennes, qui l'avaient torturé, qui lui avaient tiré une balle dans la tête et l'avaient laissé pour mort. Il confessait s'être mal conduit avec la petite fille et s'en excusait. Une histoire de fou, mais je l'ai cru.

J'étais très méticuleux, je suis revenu quelques jours plus tard avec deux collègues et un mandat de perquisition. L'appartement, de même que le hangar qui se trouve derrière, ont été fouillés de fond en comble. Même si on n'a rien trouvé, j'ai fait suivre Elward pendant trois semaines pour voir si y pouvait pas nous mener à Michelina… ou à son cadavre. Y a bien fallu renoncer à cette piste-là. Maintenant, la question qui se pose, c'est comment concilier ce que je viens de te raconter avec l'histoire de ton ami le lutteur. J'ai bien hâte d'y parler, lui !

Supposons que ce qu'il raconte est vrai. Il voit Marcel Picard entraîner Michelina chez Elward. Il entend Elward traiter la petite de wop et de fasciste. Il se fait repérer, Elward ordonne à Picard de retrouver celui qui les a vus, il est poursuivi par Picard, il se cache sous un balcon et le lendemain… il retourne chez lui et pendant les quarante années qui suivent ne raconte rien à personne. Mettons… Pendant que Picard poursuivait le futur lutteur, qu'est-ce qui se passait chez Elward ? Personne le sait. Tout ce qu'on peut affirmer, c'est que Michelina est pas retournée chez elle. Mais Picard, lui, qu'est-ce qu'il a fait ensuite ? Il est retourné chez Elward, le jeune ! Y fallait pas qu'y s'montre trop trop, après tout y était en fugue. Tu m'as bien dit qu'il s'était sauvé de l'École de réforme ? Y avait pas de meilleure cachette que là ! J'te parie qu'il y est retourné de lui-même. Il faudrait aller vérifier ça dans leurs dossiers. Moi, tout c'que j'sais, c'est qu'à dix-huit ans, il s'est retrouvé au pénitencier. Je dois te dire en passant qu'il n'a jamais été sur la liste des suspects. La raison est bien simple : il a jamais été vu dans le quartier, sauf par ton ami le lutteur, ni avant, ni après, ni le soir même de la disparition. Le p'tit gars avait mauvaise réputation, si un voisin l'avait vu, il nous en aurait parlé avant même qu'on pose la question. Dommage que le lutteur ait fermé sa gueule pendant si longtemps. Peut-être que ça nous aurait mis sur une piste intéressante.

Tu sais c'que j'pense ? J'pense que pendant que Picard courait après ton chum, Michelina s'est sauvée, probablement par la porte d'en arrière... peut-être même que Elward l'a laissée partir – le pauvre homme était pas mal fêlé – et qu'en mettant le pied dans la ruelle, la pauv'e p'tite est arrivée face à face avec Picard, qui r'tournait s'cacher chez Elward. Elle s'est mise à courir vers l'autre bout de la ruelle, il l'a rattrapée... un voisin a d'ailleurs dit qu'il avait entendu des cris dans la ruelle vers cette heure-là, mais malheureusement y a rien vu... Dieu sait c'qui s'est passé ensuite. Picard a amené la petite dans un endroit où y avait une machine à écrire et où elle a été séquestrée pendant soixante jours. Soixante jours ! C'qui lui est arrivé ensuite, j'veux pas en parler, ça m' fait encore trop mal ! »

Ça va jusqu'à maintenant, mon cher Pinocchio ? Avoue que c'est pas mal intéressant ! J'ai évidemment demandé à Plamondon les noms des deux autres suspects. Il me les a donnés. D'abord Gilles Saint-Aubin, l'espèce de maniaque exhibitionniste qui rôdait près des cours d'école, celle des filles comme celle des gars, et qui avait été souvent l'objet de plaintes de la part de parents ou de professeurs, surtout des religieuses. Il a même baissé ses culottes devant moi. Il s'était fait casser la margoulette une couple de fois par des pères ou des grands frères. Une chance que j'en ai pas parlé à mon père, qui l'aurait sûrement tué ! Saint-Aubin a été interné à l'asile pendant plusieurs années.

L'autre est plus intéressant, car je l'ai bien connu. Il s'appelait Rosaire Durand. Ce nom-là te dit sûrement quelque chose. Nous en avons jasé à quelques reprises. Et je t'en parlais dans mes lettres. L'instructeur des louveteaux ! Des plaintes d'attouchements avaient été portées contre cet énergumène, un célibataire d'environ cinquante ans, qui vivait tout seul dans Ahuntsic près de la voie ferrée du CN dans une maison à un étage. Aucune allégation n'avait débouché sur une accusation ou une condamnation, mais la paroisse a finalement décidé de congédier ce douteux personnage quand la police a commencé à poser des questions aux prêtres qui le connaissaient. Plamondon a interrogé Durand. Il l'a fait surveiller. La maison a été perquisitionnée. Sans aucun résultat.

La liste est complète : Elward, Saint-Aubin, Durand. À ces trois-là, il faut désormais ajouter le nom de Marcel Picard. Si ton histoire est véridique, il devient, quarante ans après le crime, le principal suspect.

La dernière révélation de Plamondon m'a jeté par terre. Quand Marcel Picard a été arrêté en 75, il venait de commettre trois meurtres et quatre viols en moins de six mois. Les trois femmes assassinées avaient d'abord été violées, la quatrième est parvenue à s'échapper. Mais elle n'a pu identifier le coupable, car au moment de l'agression, l'homme portait… un masque à gaz ! Heureusement, la police possédait d'autres preuves et Picard a été condamné.

En 1975, Albert Plamondon était à la retraite depuis dix ans, les histoires policières l'intéressaient beaucoup moins. Il n'a pas fait de lien entre le masque à gaz de Picard (qui, soit dit en passant, n'a jamais été retrouvé – je parle du masque) et celui dont Charles Elward lui avait glissé un mot vingt-cinq ans auparavant. Grâce à toi, et un peu grâce à moi, il vient d'allumer.

Après cette rencontre, j'ai décidé de pousser mon enquête un peu plus loin. Voici ce que j'ai appris. Au moment de son arrestation, Picard, tiens-toi bien, vivait dans une petite maison d'Ahuntsic, sur la rue Foucher, près de la voie ferrée du CN ! Je peux m'en vanter, c'est moi qui ai découvert que la maison qui avait appartenu jadis à Rosaire Durand, décédé le 20 octobre 1970, à l'âge de 69 ans, et enterré au cimetière de l'Est (j'ai vérifié), était habitée, entre 1971 et 1975, par… roulement de tambour !… Marcel Picard ! Applaudissements !

Ces recoupements, que ni Albert Plamondon ni ses collègues n'ont su faire en 1975, c'est moi, Jean-Luc Dupré, ex-comptable, qui viens de les réaliser quinze ans plus tard. Pourtant, c'est toi qui mérites les plus grands éloges. Dans l'une de tes lettres, tu attirais mon attention sur Gilles Saint-Aubin et Rosaire Durand. Je me suis alors moqué de toi. J'avais tort, excuse-moi.

À bientôt, j'espère

Signé : Hercule Poirot

P.-S. – Tu dois rencontrer Plamondon et lui montrer la lettre de Michelina. On pourrait identifier son véritable auteur en analysant le papier, l'encre et les caractères. La machine à écrire existe peut-être encore. Je parie qu'elle se trouvait chez Rosaire Durand. À propos des cinq ou six appels anonymes que j'ai reçus à Outremont il y a quelques mois, ils ont cessé peu après que je t'en aie parlé dans une lettre. Tu laisses entendre qu'ils provenaient de Marcel Picard. Tu blagues, j'espère ?

• 42 •

Memphis, Tennessee, 10 décembre 1991

Mon cher Hercule !

Tu ne perds pas ton temps ! C'est une bonne nouvelle. Ta rencontre avec Plamondon nous fait avancer ! Je suis content de constater que sa version et la mienne se complètent. Mais ça ne règle pas tout. Certains passages de ta lettre me laissent perplexe.

Caché sous le balcon de ma tante, les culottes pleines de merde, je n'ai pas pu voir la suite. Plamondon suppose que Michelina s'est enfuie, puis a été interceptée par Picard ou un acolyte. C'est plausible. Mais pourquoi n'a-t-elle pas crié comme une folle avant d'être enlevée ? Juste à la vue de Picard, elle a dû capoter.

J'ai de la misère avec le bout suivant : « J'avais aussi un vieux masque à gaz, mais je l'ai perdu. J'pense que j'sais qui me l'a volé. Je me suis livré à un interrogatoire serré, puis je suis sorti de là avec la certitude qu'Elward n'avait rien à voir avec la disparition de Michelina Martucci ». C'est une belle façon de ne pas tenir compte des preuves. Style : « Mon arme a été volée, mais je n'ai pas rapporté le fait à la police » ! Rien n'empêche que le masque ait suivi Rosaire Durand ce soir-là, et qu'il se trouve avec la machine à écrire, quelque part !

Ou encore : « Il confessait s'être mal conduit avec la petite fille et s'en excusait. Une histoire de fou, mais je l'ai cru. ». Justement, une histoire de fou ! « JE L'AI CRU ! » Ça fait pas sérieux, ça. Un inspecteur qui se base sur des suppositions. Je doute de son objectivité. Quelque chose le portait à croire Elward. Leur âge respectif, l'admiration pour un vétéran, un lien que j'ignore...

Et le retour de Picard à l'École de réforme ? C'est clair (pour moi) qu'il se cachait chez Elward (ou Durand). Pourquoi se faire emprisonner à nouveau ? Même s'il connaissait le sort qui attendait Michelina, il aura préféré se terrer.

Plamondon affirme qu'« il (Picard) n'a jamais été sur la liste des suspects. La raison est bien simple : il n'a jamais été vu dans le quartier, sauf par ton ami le lutteur, ni avant, ni après, ni le soir même de la disparition. ». En effet, il se cachait. Il devait éviter le magasin du coin, ne voulait pas se faire remarquer. Puis, s'il était chez Durand sur Foucher, les voisins ne l'auraient pas aperçu sur la rue ou dans la ruelle !

Pour le reste, ça va. J'en ai seulement contre certaines convictions de Plamondon. Contre sa certitude qu'Elward n'était pas mêlé à ça. C'est NON FONDÉ. Moi, j'ai vu Michelina chez Elward, avec Picard. J'ai entendu le sermon furieux d'Elward à Michelina, j'ai été poursuivi par Picard. Le troisième, je ne l'ai jamais vu.

Je n'ai qu'une chose à ajouter. Les reproches de Plamondon sur le fait de n'avoir rien rapporté à la police sont très faciles à expliquer. Premièrement, j'ignorais le sort de Michelina avant ta lettre reçue quelques jours après. Deuxièmement, Michelina m'avait écrit qu'elle se cachait. Je n'allais pas la *stooler* ! Maintenant, on croit que la lettre n'est pas d'elle. (J'ai bien hâte de te l'envoyer. Tu jugeras par toi-même de sa véracité.) Si c'est le cas, il n'y a qu'une explication : Elward et Picard m'avaient reconnu à la fenêtre, ils connaissaient mon adresse et ont voulu sauver du temps en me faisant croire qu'elle était vivante et se cachait. Ils ont sauvé quarante ans ! N'oublie pas, j'avais dix ans, je voyais Elward dans NDG, je pensais qu'il me cherchait. T'aurais pas eu peur, toi ?

Avec le recul, je ne suis pas fier. Je me sens responsable non pas de la mort de Michelina, mais de son sort. J'aurais pu tout dire, aller à la police de

NDG et affirmer avoir aperçu quelques semaines plus tôt un homme au masque à gaz en train d'engueuler une petite fille italienne dans un deuxième étage de Villeray, et qu'elle était disparue depuis, comme me le disait mon ami Jean-Luc. Plamondon, j'ignorais son existence. Je ne savais pas que Michelina manquait à l'appel (pour moi, elle était sous la garde de ses parents), ni que la police enquêtait. On ne se présente pas, à dix ans, au poste de police anglais de NDG avec des histoires à dormir debout.

Voilà.

Je n'ai plus rien à dire. Seulement que je suis triste pour Michelina. Si au moins j'avais su !

RD

P.-S. – Non, je ne blague pas à propos des appels de Picard. Il a dû avoir vent de nos recherches sur Michelina et tu es la cible la plus accessible.

• 43 •

Montréal, 20 décembre

Bonjour Robert,

À force de relire notre correspondance avec grande attention, j'ai constaté qu'une information capitale contenue dans ta lettre du 22 novembre m'avait complètement échappé. Tu affirmes avoir été agressé sexuellement par Charles Elward ! Où ? Quand ? Dans quelles circonstances ? Après la disparition de Michelina ? Sans aucun doute, car si tu avais déjà compté parmi les victimes d'Elward, tu n'aurais sûrement pas suivi Picard pour aller espionner ton agresseur par la fenêtre de sa cuisine ! Tu te serais plutôt enfui ventre à terre ! Ne nous faisons pas de cachettes, ce fait nouveau démontre que Plamondon n'a pas poussé son enquête assez loin.

Tu dis que je ne perds pas mon temps. Détrompe-toi. Il y a des jours où je suis loin d'être efficace. Complètement abattu, je reste des heures sans bouger. Enfermé dans mon deux et demi, en état de catatonie, je discute avec mon fils absent. Inutile de sauter par la fenêtre, j'habite au rez-de-chaussée. La crise passée, je remonte lentement la pente et reprends le collier. Mes recherches sont vaines, mais elles me font oublier temporairement tous mes bobos. C'est comme une drogue.

Passons aux choses sérieuses. Plusieurs questions se posent encore, mais je constate avec grand plaisir que nous sommes généralement sur la même longueur d'onde. Tu soulèves néanmoins des doutes auxquels je vais tenter de répondre.

Tu dis que Plamondon a manqué de sérieux et que ses conclusions étaient non fondées. Je pense exactement le contraire. Étant donné les indices dont il disposait, les conclusions de Plamondon étaient parfaitement fondées. Mais il se trompait ! Dommage qu'il n'ait pas disposé à l'époque de tous les témoignages pertinents. Je vais lui en parler.

À propos de la fuite supposée de Michelina, tu qualifies son hypothèse de plausible, mais tu te demandes pourquoi elle n'a pas crié. Permets-moi de te rappeler qu'un voisin a bel et bien entendu un cri. Une seule personne pourrait nous dire ce qui s'est passé, Marcel Picard ! S'il est vrai qu'il a poursuivi Michelina dans la ruelle.

Elward mis à part, il y eut donc à l'époque deux autres suspects : Gilles Saint-Aubin et Rosaire Durand. Pourquoi pas Picard ? Tout simplement parce que Plamondon ne s'occupait pas des ti-culs de 14 ou 15 ans qui s'évadaient du Mont Saint-Antoine. Ce n'était pas de son ressort, les allées et venues de Picard ! Aujourd'hui, grâce à toi, nous avons la certitude qu'il est directement relié au crime. Il a emmené Michelina chez Durand, qui l'a gardée en captivité pendant soixante jours. Pendant ce temps-là, notre tueur de chats se trouvait à Mont Saint-Antoine à l'abri des soupçons.

Parlons du masque à gaz. Tous les habitants du quartier avaient vu Elward se promener avec ce bidule sur la tête le soir de l'Halloween en 1949. Un jour, nous ignorons quand, le masque disparaît. Elward ne porte pas plainte à la police, mais le 26 septembre 1950, il en a parlé spontanément à Plamondon. Pourquoi ? Je l'ignore autant que toi. Il s'agissait sûrement de l'un des objets les plus précieux de sa collection. Regrettait-il de se l'être fait voler, de l'avoir perdu ou de l'avoir offert en cadeau ? Sans doute. Tu laisses entendre que Plamondon aurait dû prendre cette information plus au sérieux. Pourquoi l'aurait-il fait ? Quel rapport pouvait-il exister entre cet objet et la disparition de Michelina ? Absolument aucun ! Même si Elward avait eu ce maudit masque sur la tête lors de la fameuse scène dont tu as été témoin, comment Plamondon aurait-il pu le deviner ? Tu étais le seul à le savoir ! Je te rappelle par ailleurs que le masque n'est réapparu que 25 ans plus tard, quand Picard a commis ses viols.

La lettre de Michelina a donc été rédigée par ses ravisseurs. Je parie que la machine à écrire se trouvait chez Rosaire Durand. Il faut que tu retrouves cette lettre ! Quand reviens-tu à Montréal ?

À propos des appels téléphoniques anonymes qui seraient parvenus de Marcel Picard, je suis incapable de te prendre au sérieux. Comment aurait-il eu vent de nos recherches ? À supposer que ce soit le cas, il se serait contenté de souffler « Bouh ! » au téléphone ? Pas très sérieux de la part d'un tueur de cet acabit ! Si c'était lui, mon corps découpé en morceaux aurait déjà été dispersé aux quatre coins de la planète !

Cordialement,

Jean-Luc

• 44 •

Nashville, Tennessee, 30 décembre 1991

Salut Jean-Luc,

Je crois que le temps est venu de dresser un bilan des événements de 1950. Tellement de choses se sont passées depuis ! Il est essentiel de voir si, comme tu le prétends dans ta dernière lettre, on s'entend sur le déroulement des faits.

Dimanche, 24 septembre 1950 :

1 – Michelina te rencontre dans la ruelle, vers 7-8 heures du soir. Tu es appelé par ta mère.

2 – Je suis dans la ruelle, en route vers chez toi.

3 – Devant la maison d'Elward, une forme sort de l'ombre et saisit Michelina. C'est Marcel Picard. Il l'entraîne chez Elward.

4 – Je monte l'escalier et les épie en cachette. Elward, portant le masque à gaz, engueule Michelina à genoux devant lui, pendant que Picard les observe.

5 – Je fais du bruit et ils me voient à la fenêtre. Je m'enfuis. Je me cache sous le balcon de ma tante.

6 – Picard me poursuit, mais ne me trouve pas.

7 – Quelqu'un entend un cri dans la ruelle, puis, plus rien. On peut supposer qu'en partant de chez Elward, Michelina a été poursuivie par

Picard. Ce n'est pas prouvé. Rien ne nous assure en effet que Michelina n'est pas restée chez Elward jusqu'au retour de Picard.

8 – Michelina ne sera plus revue. Elle aurait été séquestrée pendant soixante jours avant d'être assassinée et démembrée. Le lieu de sa détention nous est inconnu, mais il pourrait s'agir de la maison de Rosaire Durand, que Marcel Picard habitera après sa mort. Pourtant, cette maison a été perquisitionnée par la police en 1950. S'il y avait une cachette, elle était fort bien dissimulée.

Dimanche, 24 septembre 1950, plus tard :

9 – Les parents de Michelina la cherchent dans la ruelle et dans les rues voisines. Ils vont frapper, entre autres, chez Jean-Luc Dupré. Giuseppe va frapper à la porte d'Elward sur Lajeunesse. Elward refuse d'ouvrir. Ensuite, ils contactent la police pour annoncer la disparition de leur fille.

10 – Les policiers arrivent et l'un d'eux se rend chez Elward mais ne trouve rien.

Lundi, 25 septembre 1950, tôt le matin :

11 – Je retourne chez moi à NDG.

Les jours suivants :

12 – Marcel Picard retourne à l'École de réforme, mais nous ignorons quand il s'était évadé et quand il y est retourné.

13 – Albert Plamondon ratisse le quartier et ne découvre aucun indice.

14 – Plamondon est allé chez Elward dès le 26 et a perquisitionné l'appartement le 29. Après quoi, il a fait suivre Elward pendant trois semaines. Il ne se préoccupe pas de l'existence du masque à gaz… mais il aurait dû.

15 – Une recherche officielle est organisée, des annonces sont placées dans les journaux, des photos affichées dans les commerces, etc.

Mercredi, 27 septembre 1950 :

16 – Une lettre venant de Michelina m'est envoyée. On se doute maintenant qu'elle ne vient pas d'elle.

Jeudi, 28 septembre 1950 :

17 – Je reçois la lettre de Michelina, datée du 27 septembre, mais elle pourrait avoir été écrite dès le 25 ou le 26. Il faut que je la retrouve.

Semaine suivante :

18 – Giuseppe Martucci déménage à Ottawa le dimanche, 1er octobre. Michela déménage chez son frère Ronaldo, dans la petite Italie, une semaine plus tard.

19 – Je reçois une de tes lettres me disant que Michelina a disparu. Mais je le savais déjà grâce à la sienne. Tu m'apprends que les Martucci ont déménagé.

Six mois plus tard, le jeudi 29 mars 1951 :

20 – Un tronc est découvert dans le petit bois Saint-Hubert. Il ne s'y trouvait pas lors de la fouille effectuée par la police en septembre 1950. La police suppose et conclut qu'il s'agit de Minou.

1970

21 – On se rencontre lors de la manifestation de McGill Français. On se revoit à quelques reprises.

6 décembre 1989 :

22 – On se croise à Polytechnique.

23 janvier 1990

23 – Je reçois ta première lettre, qui réveille les tristes événements survenus en 1950.

Début novembre 1991 :

24 – Tu rencontres Albert Plamondon une première fois.

9 décembre 1991 :

25 – Tu rencontres Albert Plamondon une seconde fois. Il te révèle qu'à part Elward ou Picard, les deux autres suspects étaient Gilles Saint-Aubin, un voyeur-flasheur, et Rosaire Durand, l'aumônier des Louveteaux. Tu apprends aussi que Rosaire était mort en 1970, et que Picard avait été arrêté en 1975. Il a été accusé de quatre viols et de trois meurtres.

26 – Les suspects, avons-nous conclu, étaient Elward, Durand et Picard. Tu as appris qu'il y avait un lien entre Picard et Durand, on sait qu'il y en a un entre Picard et Elward.

Voilà, je ne sais plus quoi ajouter. Si tu peux compléter tout ça, je t'en serais reconnaissant. Tu me rejoins de la manière habituelle.

Robert.

• 45 •

Dimanche, 12 janvier 1992

Mon cher Robert,

Quelques commentaires à propos de ton bilan, que je trouve excellent. Sauf que tu m'apprends qu'Elward portait le masque à gaz dans sa cuisine ! Pourquoi ne pas l'avoir dit avant ? Il s'en serait donc débarrassé le soir même pour faire disparaître une preuve, ainsi que tu le disais dans une lettre précédente où tu accusais Plamondon de manquer de sérieux. C'est Picard qui lui aurait rendu ce petit service. Ces faits, que tu distilles malheureusement au compte-goutte avec quarante ans de retard, Plamondon ne pouvait pas les connaître. Je ne retire donc rien aux remarques contenues dans ma lettre du 20 décembre.

Ma sœur m'annonce sa visite pour samedi prochain. Son mari a fait des recherches sur l'ancien combattant Charles Elward. Je l'ai mise au courant à propos de Picard. Elle se dit désolée de nous avoir lancés sur une fausse piste.

Prochaines étapes de notre enquête. Dis-moi si tu es d'accord.

1 – Il faudrait que l'un de nous deux aille rencontrer Michela Martucci. J'en ai parlé à Plamondon, il n'y voit aucune objection. Ta tournée t'emmènera-t-elle dans la région de Toronto dans les prochaines semaines ?

2 – Il faudra suivre de près la piste qui mène à Charles Elward. Je vais pouvoir t'en apprendre davantage dès la semaine prochaine. Où, quand et dans quelles circonstances t'a-t-il agressé ? Connaître la date précise

de l'événement, s'il n'y en eut qu'un seul, nous permettrait de faire des recoupements.

3 – Je vais retourner à la bibliothèque pour vérifier soigneusement les tenants et aboutissants de la condamnation de Marcel Picard en 1975 et de son évasion en 1980.

4 – Il faudrait inspecter de fond en comble la maison qu'il a habitée de 1971 à 1975 (et qui avait appartenu à Rosaire Durand). Je suis passé la voir la semaine dernière. Un voisin m'a aperçu, je lui ai demandé si elle était habitée. Il m'a répondu qu'elle appartient à un vieux couple qui part pour la Floride chaque hiver. Il a même ajouté : « Ils vivent dans une cabane qui leur coûte rien, ils ont les moyens de voyager ! ».

Voilà où j'en suis. Comme tu peux le constater, plusieurs points demeurent obscurs. Nous ne sommes pas au bout de nos peines. Aurais-tu d'autres idées ? Je te pose la question tout en te rappelant que ta priorité c'est de retrouver la lettre de Michelina.

Jean-Luc.

• 46 •

Val-Morin, 12 janvier 1992

Cher Jean-Luc,

J'ai visité la famille dans le temps des Fêtes. J'ai déniché la lettre de Michelina chez mon oncle Louis. Oublie mes propos antérieurs sur son contenu. La vérité m'éclate en pleine face. Quarante années de fuites et d'illusions qui s'évaporent d'un seul coup, c'est dur à prendre. Au lieu de me sentir plus léger, j'ai les épaules rivées au matelas par un poids de dix tonnes, pire que les frères Giganto. La vérité est plus lourde à porter que le mensonge, mais je n'ai plus le choix ! Non, c'est pas Michelina qui a écrit la lettre ! Elle dit que, chez Elward, ils préparaient une pièce de théâtre. Je savais dès le début qu'Elward et Picard ne pouvaient pas être d'aussi bons acteurs, et elle non plus ! C'était pas du fake, c'était vrai ! Et ce l'est devenu encore plus quand Elward m'a rattrapé dans NDG. Tellement, que j'ai pas eu le choix, à partir de là, de me faire accroire que le vrai était faux que le faux était vrai. Autrement, je serais devenu fou. Ça me fait un peu de bien de m'avouer enfin la vérité et de la partager. Peut-être que je vais pouvoir me relever avant le compte.

Robert

• 47 •

Lettre de Michelina à Robert

Montréal, mercredi, 27 septembre 1950

Mon cher Robert,

Je ne te reverrais plus parce que mes parents m'ont envoyer chez mon oncle Rénaldo. Ils font ça pour me protéger des gens du cartier. Surtout les enfant.

Il y a aussi des adulte qui me disait des méchants mots comme « wops », mais ces tout. Quand tu m'as vu chez monsieur Elward, ont répétait une séance pour l'halloween. Monsieur Elward jouait le rôle d'un allemand et Marcel était mon grand frère. Ils t'ont entendu et vu à la fenêtre. Marcel t'a chercher pour te demander de te joindre a notre pièce mais ne t'a pas trouver. Il t'aime bien, tu sais !

Quand je suis rentrer à la maison, mes parents étaient fâcher que j'étais sortie sans leur dire. Tu sais combien ils peuvent être sévère. Papa peut être très violent comme tout les Italiens. Le fait qu'on préparait une pièce pour les amis de la ruelle les a fâcher encore plus. Ils trouvent que c'est niaiseux le théatre. Ils m'ont chipé chez Rénaldo pour me protéger des mauvaises influance.

MES AMIS NE VEULENT PAS QUE PERSONNE APPRENNE QU'ON PRÉPARAIT UNE BELLE SURPRISE, ALORS NE DIS RIEN À PERSONNE.

Ils seraient très fâcher si tu parle. Je leur ai donner ton addresse. Je n'aimerais pas ça qu'ils allent te chicaner.

Je ne te reverrais plus, mais on a été des bons amis.

Michelina

1992

• 48 •

23 janvier 1992

Salut Robert,

Merci pour la lettre de Michelina, j'ai dû la lire cent fois. Je me suis empressé d'aller la montrer à Plamondon. Son diagnostic : il s'agit d'un faux. Primo, Michelina avait de très bonnes notes à l'école et cette lettre est bourrée de fautes. Secundo : Giuseppe n'était pas un homme violent. Il adorait sa fille et lui manifestait beaucoup d'affection. Ses crises, c'était ce qu'on appellerait de nos jours de la panique. On croit qu'on va mourir, mais on n'en meurt pas. Je t'en ai déjà parlé dans une de mes lettres. Tertio, les Martucci n'éprouvaient aucun mépris pour le théâtre. En tout cas, ils adoraient l'opéra et possédaient plusieurs 78 tours d'airs italiens. Quatro : l'oncle de Michelina (frère de Michela) ne s'appelait pas Rénaldo, mais Ronaldo. Les auteurs de la lettre ont commis plusieurs erreurs. Malheureusement, elle est demeurée cachée 42 ans. Désolé de tourner le fer dans la plaie.

Plamondon avait les larmes aux yeux : « Si tu vas rencontrer Michela à Toronto, montre-lui pas cette lettre-là, ça va lui faire trop de peine. ». Et il a ajouté : « J'espère que j'vas vivre assez vieux pour connaître la vérité. Mais j'aimerais surtout que Michela obtienne des réponses à ses questions ! ». Je lui ai laissé la lettre. Il va la faire expertiser par l'entremise de son gendre, qui est policier à la SPCUM. Eh oui ! Il y a des familles de flics comme il y a des familles de lutteurs ou de comptables. D'après Plamondon, nos nouveaux éléments de preuve permettraient de rouvrir le dossier. La découverte la plus intéressante, c'est la maison de Durand, habitée plus tard par Marcel Picard. Là se trouve la clé du mystère. Je passe devant cette maison deux fois par semaine. Elle est toujours vide. Ses propriétaires ne sont pas revenus de Floride. L'idée d'entrer par effraction ne me sourit guère. Il faudra sans doute attendre jusqu'au printemps.

Ma sœur Marie-Hélène est venue passer une journée en ma compagnie. On a beaucoup parlé. Grâce à son mari, elle a appris qu'après son départ de Villeray, Charles Elward est retourné à Sudbury, en Ontario, où il avait vécu depuis sa naissance en 1917 jusqu'à la mort de son père en 1936. Ce dernier s'appelait Gregory. Il avait combattu en Europe pendant la Première Guerre. À son décès, sa femme, Julie Vaillant, et son fils unique, Charles, sont venus vivre à Montréal, où Julie avait de la famille. Charles s'est engagé dans l'armée en 1937. Membre du Royal 22e régiment, il a participé au débarquement en Sicile le 10 juillet 1943. Gravement blessé le 24 juillet dans la bataille de Catenanuova, il a été rapatrié en Angleterre jusqu'à la fin de la guerre. De retour au Canada en 1945, il a été hospitalisé jusqu'en 1946. Ses blessures à la tête l'ont laissé avec de lourds handicaps : pertes de mémoire intermittentes, crises d'épilepsie, troubles émotifs. À sa sortie de l'hôpital, il est retourné vivre avec sa mère. Après son retour à Sudbury, il a continué de toucher sa pension de vétéran. Il serait mort en 1988. Quant à sa mère, elle a dû mourir avant lui, mais les dossiers n'en font pas mention.

Marie-Hélène et moi avons longuement parlé de l'affaire Martucci. En passant, elle te salue. Je l'ai mise au courant de nos découvertes. S'il n'avait pas fait si froid cette journée-là, je l'aurais emmenée en promenade dans le quartier. Elle m'a appris des détails intéressants à propos de Marcel Picard et de sa famille. Le soir où notre père est allé chez les Picard, après l'immolation du chat, elle a entendu la conversation qui a suivi entre nos parents. Mon père aurait confié à ma mère que Marcel Picard était devenu tellement incontrôlable que ses parents ont demandé au directeur de l'école Saint-Gérard de les débarrasser de lui. Il a été envoyé à Mont-Saint-Antoine, la fameuse École de réforme. L'affaire du chat a simplement fait déborder le vase. Le principal responsable du départ de Marcel Picard, c'est… le « principal » de l'école Saint-Gérard. Tu te souviens de lui ? Une vraie terreur ! Un maniaque de la strappe ! Quand je pense à lui, mes mains se mettent à trembler. Mais son intervention à propos de Marcel Picard me semble peu vraisemblable, car si je me souviens bien, pour qu'un garçon soit envoyé au Mont-Saint-Antoine, un jugement de Cour était requis. Peut-être que le principal jouissait d'un pouvoir occulte. Autre point qu'il faudrait éclaircir.

À propos du comportement de Picard, Marie-Hélène m'assure qu'il ne s'est rien passé de très grave, mais que la situation se dégradait. Il était temps qu'il disparaisse, sinon il aurait fait pire que lui « pogner » une fesse ou un sein au passage. Au sujet d'Elward, elle n'en démord pas : le personnage n'était pas dangereux. Quand je lui ai révélé qu'il t'avait agressé, elle a simplement répondu : « S'il le dit, c'est que c'est vrai. Mais ça m'étonne beaucoup. ».

Nous avons aussi parlé de Rosaire Durand. Marie-Hélène a lu son nom quelque part dernièrement, mais ne se souvient ni où ni quand. Ce trou de mémoire nous a fourni l'occasion de remuer de vieux souvenirs. Elle m'a rappelé qu'en plus de s'occuper des louveteaux, l'énergumène en question travaillait comme projectionniste à la salle Sainte-Anne le samedi matin. On entrait par une porte de côté. Il y avait une queue pour les filles, le long du mur, une autre pour les gars, le long du trottoir. Les filles allaient s'asseoir au balcon, les gars au parterre. Rosaire Durand abandonnait parfois son poste pour aller s'asseoir parmi les filles. Certaines le trouvaient très achalant, paraît-il. Mielleux. Ma sœur n'a jamais eu affaire à lui directement, mais c'est ce que disaient certaines de ses amies. Il lui arrivait de les inviter dans la salle de projection « pour leur montrer comment ça marche ». Tu vois le portrait ? Si Rosaire Durand a fait partie de la liste des suspects, comme Plamondon nous l'a appris, c'est sans doute pour cette raison.

C'est tout ce que j'ai à t'apprendre pour le moment, mon cher Robert. J'espère que ta santé va bien. La mienne se maintient vaille que vaille. J'ai toujours la même épée de Damoclès au-dessus de la tête. Mon médecin me dit de demeurer optimiste. Je fais des efforts en ce sens. Je vois Nathalie de temps en temps, c'est excellent pour mon moral. Elle me dit que ses études vont bien et qu'elle s'est liée d'amitié avec ta fille. Ne t'inquiète pas, elle ne sait rien sur notre enquête et ne pourra donc trahir aucun secret.

Jean-Luc

P.-S. – J'ai un reproche à te faire. Tu es passé à Montréal, mais tu n'es pas venu me voir. Impardonnable ! Pourquoi te caches-tu ? Suis-je un personnage menaçant ?

• 49 •

Charlottetown, Île-du-Prince-Édouard, 8 février 1992

Salut,

On commence une tournée à travers le Canada. Dans quelques semaines, on doit s'arrêter à Toronto. Je vais aller voir Michela, la mère de Michelina, même si je n'aime pas me déplacer. Donne-moi ses coordonnées. Si je passe par Sudbury, j'irai visiter le cimetière.

Une chose me trouble, ou me rassure, je ne sais plus : tu dis que Elward est mort en 1988. Dans ce cas, qui ai-je vu à Bangkok, le jour de Noël 1990 ? À moins qu'il n'ait survécu à la mort, grâce à son masque à gaz ! Tu sais, des fois !

La réalité et la fiction ne sont pas très éloignées. Il m'arrive de ne plus savoir qui est qui, ou quoi est quoi ! Ce n'est pas de l'Alzheimer, c'est l'imaginaire ! Je vis un rêve. Je ne suis pas moi-même. Je change de personnage à chaque moment. Un jour, je suis un Bon, le lendemain, un Mauvais. Le surlendemain, un simple faire-valoir. Ça fait partie du jeu. Comme un comédien qui incarnerait Hamlet en juin et Ti-Coq en décembre. La seule façon de convaincre, c'est d'y croire. Plusieurs lutteurs ne savent plus sortir de leur rôle. Hulk Hogan en est un. Le Capitaine Lou Albano, un autre. Ces gens-là ne vivent pas dans la réalité, seulement dans la fiction. Ils ont incarné leur personnage, le mensonge est devenu leur vérité. Parfois, ça fait pitié. Pas seulement dans le monde de la lutte ! Combien de politiciens s'identifient à leur image ? Je pense à Trudeau, le sauveur du Canada. Heureusement qu'il y a des Lévesque ou des Bourgault pour nous ramener à la réalité.

On est entouré de héros que l'on prend pour des êtres réels, des Maurice Richard, des Guy Lafleur.

Nous vivons dans le rêve et l'illusion. Nous nous inventons tous, consciemment, des identités. Souvent, en marchant sur la rue, nous retrouvons pendant quelques instants des êtres qui nous ont marqués, mais qui sont morts : notre père, notre ancienne amante, notre ami disparu. Une silhouette, un port d'épaule, un vêtement les font renaître. Parfois, on redécouvre un « méchant » qu'on croyait évaporé. C'est sans doute ce qui m'est arrivé. Je n'ai peut-être pas vu Elward en chair et en os, mais celui que j'ai vu m'a fait le même effet. À un tel point que j'ai fui Bangkok.

Si Elward est mort, tant mieux ! Ça me fait un fantôme de moins !

Ça me fait chier ! J'ai passé ma vie à avoir peur d'Elward, Picard et tous les autres crosseurs de ma jeunesse. Aujourd'hui, comme lutteur, les ennemis sont des amis, des connaissances, des collègues. Il y a, bien entendu, des *maverick*, dont il faut toujours se méfier, mais la compagnie nous protège. NOUS SOMMES DES VALEURS À NE PAS DILAPIDER. Si on nous massacre (réellement), la compagnie perd de l'argent. Des systèmes de sauvegarde sont en place pour l'empêcher. C'est un monde idéal. Nous sommes en sécurité. Nous pouvons vivre les pires événements, nous sommes intouchables. C'est ça la réalité : ÊTRE INTOUCHABLE, TOUJOURS PROTÉGÉ !

RD

• 50 •

13 février 1992

Cher Robert,

Les événements se précipitent. Es-tu bien assis ? Attache ta tuque !

Nous cherchions un lien entre Rosaire Durand et Charles Elward ? Question réglée. Ma sœur s'est souvenue de l'endroit où elle avait aperçu le nom de Rosaire Durand : sur une liste des sous-officiers du 22e Régiment à la fin de la Deuxième Guerre. De 1944 à 1945, notre ami Rosaire était aumônier catholique dans l'armée canadienne. Il n'a pas participé aux combats sur le continent, mais se trouvait en Angleterre quand Elward y a été rapatrié. Les deux hommes se sont sûrement croisés. Qu'est-ce qu'un aumônier pouvait avoir de mieux à faire que d'aller vendre sa salade et son saint chrême au chevet des soldats blessés ? En 1950, Elward et Durand demeuraient à trente minutes de marche l'un de l'autre et ils avaient un petit ami commun, Marcel Picard… Difficile de ne pas imaginer qu'ils pouvaient alors se fréquenter.

Durand était donc prêtre catholique. En 1950, il ne l'était plus. Que s'est-il passé entretemps ? Mystère ! Défroqué ou dégommé ? Va savoir. En tout cas, même s'il ne portait plus la soutane, la paroisse lui confiait encore des *jobines*… et la responsabilité de groupes d'enfants ! Peut-être qu'il a enlevé Michelina parce qu'il la prenait pour la Vierge Marie. Toutes les hypothèses sont permises.

Autre nouvelle sensationnelle : le Journal de Montréal annonce ce matin que l'un des criminels les plus recherchés au Canada vient d'être capturé aux Bahamas. Tu devines de qui il s'agit. Eh bien oui ! De Marcel Picard ! Je te parie que le Canada va exiger son extradition et que notre cher ami d'enfance va se retrouver bientôt dans un pénitencier du voisinage.

Voici l'adresse de Michela Martucci, née Di Stefano. Elle demeure à Mississauga, 8400, Halverton Road. Il serait préférable que tu prennes rendez-vous. Ne fais pas de cachotteries, annonce clairement la raison de ta visite. Plamondon lui a déjà parlé, elle sait que quelqu'un, toi ou moi, va la contacter sous peu. Essaie de te hâter. Voici son numéro de téléphone : 955-670-1302. Il faudra que tu sois très diplomate. Plamondon me dit que Michela a le cœur et les os fragiles. Pas de prise de lutte S.V.P. ! Je te propose d'aborder avec elle les questions suivantes :

– Comment elle a connu Giuseppe.

– Le caractère de Giuseppe, son travail, son passé.

– La nature exacte de la maladie de Giuseppe (Plamondon parle d'agoraphobie).

– Ses rapports avec Giuseppe au moment de la disparition de Michelina.

Il est parti à Ottawa, elle est devenue la maîtresse de Plamondon, c'est sûrement dû au fait que Giuseppe et elle ne formaient plus un couple très uni. À cet égard, je n'ai pas pu tirer grand-chose de Plamondon. Peut-être auras-tu plus de succès avec Michela. Il n'a pas dû être facile pour elle d'aller vivre avec Giuseppe après que la mort de Michelina eut été établie de manière certaine. Leur deuil fut sans doute très pénible. Comment l'ont-ils vécu ?

– Essaie aussi de tirer le maximum de renseignements à propos de Michelina : son caractère, ses rapports avec son père, son comportement à l'école et surtout ce qu'elle disait à sa mère à propos de nous deux. Ces souvenirs lui seront très douloureux. Je le répète : sois diplomate !

– Tu pourrais aussi lui arracher des confidences sur sa propre famille, et surtout à propos de l'oncle Ronaldo. Plamondon m'a un peu parlé de lui. C'était le frère aîné de Michela. Il est mort en 82.

– Quel souvenir conserve-t-elle du quartier et des voisins ?

– Il faudrait aussi en apprendre davantage à propos des rapports de Michela avec Plamondon. Pourquoi ont-ils cessé de se voir en 1963 ? De ça non plus, il ne m'a rien dit. Il veut d'abord et avant tout résoudre l'énigme policière. L'aspect humain le touche aussi, mais il se montre très pudique.

– Demande-lui ce qu'elle pense, 40 ans plus tard, de la qualité de l'enquête policière. Ne te gêne pas pour la mettre au courant des faits nouveaux que nous avons découverts. Façon de parler, puisque certains d'entre eux étaient connus de toi depuis le Déluge.

– Michela te fera sans doute une forte impression. Je constate, depuis que nous correspondons, que tu as des perceptions psychologiques très fines. Il serait intéressant que tu dresses un portrait complet de sa personnalité.

D'autres questions importantes te viendront sûrement à l'esprit. Je compte sur toi pour me faire un rapport détaillé de votre entretien.

Bonne chance,

Jean-Luc

P.-S. – Je répète ma question : quand exactement as-tu été agressé par Elward ? Je sais que le sujet est délicat et que la réponse le sera davantage, mais nous n'avons pas le choix, il faut tirer les choses au clair. Parmi toutes les circonstances de ce pénible événement, le « comment » est tout aussi important que le « où », le « quand » ou le « pourquoi ». Tu vois ce que je veux dire.

• 51 •

Lévis, PQ, 28 février 1992

Salut, encore !

Je ne m'appelle plus Pinocchio Loco depuis mon retour au Canada. Je suis Frankie le Felquiste ! C'est malade, mais ça marche ! J'ai un masque noir, un habit bleu Québec, des fleurs de lys partout (surtout sur la poche). Les Anglais me haïssent (quoi de neuf !) et je les déteste. C'est facile ! J'entre en scène avec un assistant (Le comte de France, supposément mon gérant) qui brandit le fleurdelisé. Il ne parle même pas français. Va savoir ! Les Anglais ne voient pas la différence ! Je serai sûrement mieux reçu ici. Je dois lutter contre un gars de Saskatchewan qui s'appelle Lumber Jack McLoyd ! Comme s'il y avait des arbres dans ce coin-là ! Comme dirait Gaston Lagaffe : M'enfin !

Comme ça, Picard est en prison ! *Le Journal de Montréal*, ce torchon, est livré chez toi ? Ou tu vas le lire en déjeunant au diner du coin ? Moi, je ne le lis pas. À la rigueur, *La Presse* ou *Le Devoir*. Au moins, ce crisse-là n'est plus à craindre. Tant mieux. Elward, mort en 1988, Durand, il y a longtemps, Picard incarcéré ! Quel soulagement ! Je peux enfin espérer marcher dans les rues de Montréal sans peur d'être repéré, suivi ou harcelé. Merci de la nouvelle !

En passant à Toronto, je vais aller voir Michela. Mais une chose m'intrigue. Tu me fournis une liste de questions comme si tu dirigeais l'Inquisition. Je m'interroge sérieusement sur tes motifs.

Dis donc, écris-tu un essai sur le meurtre de la petite ? Un documentaire peut-être ? Tu as souvent parlé, dans tes lettres – et dans l'entrevue avec Plamondon – d'écrire un livre. Je commence à y croire. Tu te sers de moi ? Bof, ce n'est pas la première fois qu'on abuse de moi. Nous avons tous un côté *crosseur*, surtout quand on vit seul comme c'est ton cas. Tout pour se donner l'impression de vivre quand on a la mort dans l'âme.

« Il faudra que tu sois très diplomate », écris-tu. Et tu insistes : « Je le répète, sois diplomate. ». Pour qui me prends-tu ? Un lutteur ? « Pas de prise de lutte S.V.P. », ajoutes-tu. Sans doute une touche d'humour, de ta part, mais admets que c'est limite. Je suis bien capable de lui parler sans piétiner ses « os fragiles ». Mon expérience dans l'arène m'a démontré qu'un adversaire qui perd ses dents, qui saigne du nez, qui reçoit un coup dans les *schnolles*, n'a pas le goût de jaser. Alors, fais-moi un peu confiance.

Tu veux « un rapport détaillé ». Es-tu mon patron ? Pourquoi j'omettrais quoi que ce soit ? Je poserai les questions qui me viendront en sa présence. Ne le prends pas mal, je veux seulement fonctionner à ma façon. Je vais lui demander la permission d'enregistrer la conversation et t'en ferai un résumé.

Tu me demandes de te raconter mon agression. Je n'aime pas en parler. Revivre ces souvenirs troubles me bouleverse encore, j'essaie d'oublier.

C'est à l'époque où le tronc a été découvert dans le bois Saint-Hubert. C'était le soir dans une ruelle près de chez moi à Notre-Dame-de-Grâce. Je revenais d'un souper chez un ami. (Je me souviens, c'était du pâté chinois.) Ma mère me disait de toujours marcher dans la rue. Car il y avait de la lumière et c'était moins dangereux. J'ai quand même décidé de passer par la ruelle. J'entendais des pas derrière moi et tournais la tête de temps en temps. Dans un coin plus sombre, où les lumières des balcons étaient éteintes, une ombre s'est détachée et un homme s'est dressé devant moi. Je suis rentré dedans. Au même moment, deux bras m'ont agrippé par derrière. J'étais incapable de bouger. Face à moi, l'homme, tout habillé de noir, portait un masque à gaz. Il n'y avait pas seulement la trompe qui pendouillait. Une longue queue flasque et pâle pendait de sa fermeture éclair. Celui qui me retenait a dit : « Envoye bébé, suce le monsieur ! Aide-toi, Charley, fais de quoi, maudit vieux tabarnak ! ». Il pressait ma tête contre le bas ventre d'Elward. Son sexe sentait l'urine et la décomposition. Je sais pour la décomposition. Ça sentait la même chose quand mon plâtre a été enlevé. Tu te souviens, je m'étais cassé le bras en luttant avec toi dans la ruelle. La sueur et la crasse s'étaient mêlées aux squames sous le plâtre. C'est cette odeur-là qui se dégageait de son sexe. J'avais jamais vu ça, un sexe pareil. Le gland était recouvert de peau et, près de l'urètre, ça sentait plus fort. « *Envoye, suce, mon p'tit câlice ! Pis mord-lé pas, j'vas te péter la gueule en sang. Pis toi, criss, tu peux même pas bander ? Je fais tout ça pour toi pis tu restes mou comme une guenille !* » Il poussait encore ma tête contre son sexe, mais je fermais la bouche, fort, fort. J'ignore comment ça s'est passé, mais celui qui me tenait par-derrière (c'était Picard, j'en suis sûr) a réussi, en m'étranglant, à saisir la queue d'Elward et à me l'enfoncer entre les lèvres. Je serrais les dents, mais la peau du prépuce et le gland frottaient contre mes palettes. J'avais fermé les yeux. Je ne voulais plus rien voir. Puis, Picard m'a lancé par terre. Il a posé son pied contre mon cou. J'avais la tête coincée entre la clôture et les mauvaises herbes qui poussaient entre les planches.

« Écoute-moi bien, mon petit enfant de chienne ! On sait où tu restes, si tu parles de ce qui est arrivé chez Charley, on va revenir pis c'est moi qui vas te fourrer, t'as compris. Dans le cul ! Ça, ça fait mal. Toi, le mou, rentre ta graine, tu fais pitié ! Pis tu pues ! Toi, le p'tit, on te surveille. Tu sais jamais quand on va revenir ! »

Ils m'ont laissé là. Quand je n'ai plus entendu leurs pas, je me suis relevé et suis rentré à la maison. J'ai filé tout de suite à la salle de bain et je me suis brossé les dents. Une, deux, trois fois, dix fois, sans réussir à éliminer l'odeur nauséabonde et le goût de pourriture que j'avais dans la bouche. « J't'ai ben dit de te brosser les dents après les repas, a dit ma mère, mais faut pas exagérer. Sors de là, c'est le temps de te coucher. » Je suis allé au lit sans l'embrasser. Si tu écris un livre, je t'en supplie, garde ça secret.

Robert

P.-S. – Tu ne m'as jamais dit si ton fils avait écrit une lettre pour expliquer son suicide.

• 52 •

6 mars 1992

Cher Robert,

Ta dernière lettre est datée du 28 février. Triste anniversaire. J'essaie de ne plus y penser, mais la blessure ne cicatrise pas. Déjà un an ! Non, Éric n'a pas laissé de message, de carte routière, de mode d'emploi. Il a bien fait de ne pas s'expliquer. Son délire aurait causé plus de tort que de bien.

Elward et Picard ont atteint le but qu'ils visaient. Tu t'es enfermé dans le silence pendant quarante ans ! Les salauds ! Merci de l'honneur que tu me fais en me révélant ton secret. Dans toute cette scène horrible, Picard était donc l'acteur principal, Elward un simple figurant, une marionnette, un zombie. Au fond, tu as toujours su que Picard tenait le gouvernail. C'était lui le capitaine, malgré ses quinze ans, l'autre n'était qu'un petit mousse. Je te plains, mon pauvre Robert. Et je regrette, aussi. Cette histoire est proprement dégoûtante !

Moi aussi, j'ai des secrets. Je vais t'en révéler un. Le plus important de ma vie. Peu après la disparition de Michelina, j'ai commencé à écrire une histoire dans un cahier d'écolier. J'étais le héros, tu étais mon lieutenant. Devine le nom de l'héroïne. Pendant un mois ou deux, j'ai négligé tout le reste pour écrire mon « roman ». Je n'étudiais plus mes leçons, je « butchais » mes devoirs. Mes notes ont coulé à pic. Mes parents s'arrachaient les cheveux et me soumettaient quotidiennement à des interrogatoires dignes de la Gestapo, la torture en moins. Un jour, ma mère a fouillé dans mes affaires et a découvert mon « roman ». J'avais déjà noirci deux cahiers, je venais d'entamer le troisième. Je l'entends encore me demander, tandis qu'elle feuilletait le premier en grimaçant de dédain : « Qu'est-ce que c'est que c't'affaire-là ? » J'ai fini par avouer, entre deux sanglots, que c'était une histoire. Le titre aurait dû la porter à rire, il l'a plutôt horrifiée : *Le mystère de la ruelle fatale*. Elle a lu la moitié de la première page et, comme prise de nausées, est sortie de ma chambre en emportant les preuves de mon crime.

Le souper s'est déroulé dans un silence de mort. Quand ma sœur et mon frère tentaient de dire un mot, ma mère jappait : « On ne parle pas la bouche pleine ! ». Je me suis couché avant que mon père rentre du travail. Pas moyen de dormir. Vers neuf heures du soir, la porte de ma chambre s'est ouverte et il est apparu. Mon petit frère, qui dormait dans le lit voisin, s'est réveillé en sursaut. Mon père a allumé, puis a brandi les trois cahiers : « C'est rempli de fautes d'orthographe ! ». Alors, lentement, soigneusement, scrupuleusement, il les a déchirés en petits morceaux ! « Tu n'iras plus jouer dehors tant que tes notes ne seront pas revenues à la normale, c'est compris ? À partir de ce soir, défense d'amener tes amis à la maison ! ». Il s'est ensuite adressé à mon frère. « Tu le savais, Raymond, que ton grand frère perdait son temps à écrire des idioties ? – Je l'savais pas ! Je l'savais pas ! Je l'savais pas ! » Mon frère ne savait rien, ce qui aggravait mon cas, puisque j'avais agi en hypocrite !

Ces événements-là se sont déroulés quelques jours avant la découverte du torse de Michelina. Pour moi, elle était déjà morte. Et ce sont mes parents qui l'avaient tuée en m'empêchant de la faire vivre dans mon « roman ».

Mes notes sont revenues à la normale. Mes parents ont retrouvé avec ravissement le premier de classe docile que j'avais toujours été. Pendant des années, à chaque réunion de famille, mon père vantait mes mérites. Incapable de se retenir, surtout s'il avait pris un verre de trop (« Énerve-toi pas trop, fais attention à ton cœur, Hector », disait ma mère), il évoquait devant la parenté l'histoire du « roman » de mes dix ans. Il la racontait à sa façon, bien sûr, pour se donner du mérite. Car si son cher Jean-Luc continuait au cours classique d'être un étudiant modèle, c'était un peu grâce à lui, non ? Quelle bonne action que de m'avoir remis sur les rails du succès à l'âge de dix ans ! Écrire une histoire, quelle idée sotte ! On n'étudie pas la grammaire et la syntaxe pour faire des romans, on étudie les règles de la langue française afin de ne pas commettre de fautes d'orthographe ! Moi, j'écoutais ces insanités en ne les trouvant pas si bêtes après tout, rouge de honte et de fierté, d'autant plus rouge que j'étais boutonneux, mais finalement plus fier que honteux. Quel minable ! Quelle lavette ! Je n'ai tiré aucune leçon de cette période de ma vie ! Si j'ai eu avec mes enfants un comportement tout à fait contraire à celui de mon père, si je les ai laissés s'épanouir, si je ne les pas détournés de la voie qu'ils ont choisie, si je leur ai permis de réaliser leurs rêves, c'est par mollesse, c'est malgré moi. Résultat : mon fils a réussi son suicide sans que j'aie songé une seconde à l'en empêcher.

Ce que mon père et ma mère ignorèrent jusqu'à la fin de leur vie, c'est qu'il m'arrivait parfois, au collège, d'ouvrir un cahier vierge et d'essayer d'écrire quelque chose, mais ça ne marchait jamais. Je bloquais au milieu de la première phrase. Peut-être parce que j'aurais encore voulu que Michelina soit mon héroïne et moi, son Prince Vaillant. Il m'a fallu me résigner. *Dura lex, sed lex*. Je faisais beaucoup moins de fautes d'orthographe, mais j'étais moins bon écrivain à quinze ans qu'à dix ans. C'est ça qui est ça ! Il y a des livres qu'on ne peut écrire qu'une fois.

L'injustice que mes parents m'ont faite n'a jamais été réparée. Ils ont si bien réussi à me remettre dans le droit chemin que j'ai bientôt cessé de croire qu'il aurait été légitime d'en suivre un autre. Le mot injustice avait disparu de mon vocabulaire. Quand j'ai essayé de me pendre, à seize ans, la corde s'est rompue. Personne ne s'est rendu compte de quoi que ce soit. J'étais déjà tellement robotisé, que je n'aurais su expliquer les motifs de mon geste. Je me suis résigné à vivre. Ma voie était tracée, j'allais la suivre sans déroger jusqu'à ce que mort naturelle s'ensuive. Je me souviens pourtant avoir tenté une dernière fois de reprendre la plume. Après la mort de mon père, une vanne a cédé et j'ai rédigé les premières pages de ce qui aurait pu devenir un récit autobiographique. Mais la chienne m'a de nouveau saisi dans sa gueule puante. L'homme rabougri et tristounet a repris le dessus. La colère sourde qui grondait au fond de mes tripes n'explosait parfois au grand jour qu'en présence de ma mère. La dernière fois que je l'ai accablée de reproches, elle était étendue dans son lit d'agonie à la frontière du coma, transformée de la tête aux pieds en tumeur desséchée. C'était il y a cinq ans. Sa mort ne m'a pas libéré, au contraire, car petit train va loin. Et puis, un certain 6 décembre, nous nous sommes revus et tout a basculé.

Je veux reprendre l'écriture, donner vie à ce roman qui me ronge les entrailles. Quand ce sera fait, l'injustice sera corrigée, je serai un autre homme. Merci, Robert. Tu es mon libérateur.

Jean-Luc

P.-S. – Tu es peut-être déjà au courant, sinon tiens-toi bien. Les journaux et la télé en ont parlé : notre ami Picard ne s'est pas fait arrêter, il est allé se livrer à la police de Nassau. Il a demandé à être renvoyé au Canada, a signé les papiers nécessaires, a été expédié ici en avion, accompagné de deux policiers des Bahamas. Des agents du SPCUM sont venus le cueillir il y a trois jours à Mirabel. Il se trouve actuellement au super maximum de Saint-Vincent-de-Paul, en attente de son procès pour le meurtre commis en 1980. Il sera aussi accusé d'évasion. Même s'il était acquitté, il doit encore purger le reste de sa peine à perpétuité pour ses crimes antérieurs. Il pourra demander une libération conditionnelle dans 20 ans. Il aura alors atteint l'âge canonique de 75 ans.

Ce qui s'est passé exactement quand Picard s'est retrouvé au large en 1950, l'un de nous deux devra le lui faire avouer.

• 53 •

Rouyn-Noranda, 18 mars 1992

Allô l'écrivain,

Ce n'est pas de la dérision, c'est du respect. Il n'y a rien de plus noble que de vouloir écrire. Il m'arrive de contribuer à des scénarios de lutte. Je réalise l'importance que tient l'écriture dans la construction du monde. On en vient à se croire ! La fiction est plus attrayante que la réalité. Elle finit par en faire partie.

Alors, tu espères pondre un roman ! Avec Michelina comme vedette ! Tout ce que je te demande, c'est de ne pas m'inclure là-dedans, surtout pas comme « lieutenant » ! Franchement, ton père, en plus d'être ta sécurité dans la ruelle, a tenté de l'être dans ta vie. En t'empêchant d'écrire, il a joué au *tough*. Au moins, tu es devenu comptable !

Tu n'as pas à te trouver « minable ou lavette » à cause de ton paternel. Il y a sûrement plusieurs autres raisons à ça, surtout ton ex…

Je comprends enfin ce que tu as toujours voulu dire à propos de « l'injustice ». Ça n'avait rien à voir avec Michelina. Seulement avec toi ! Tu t'es trahi ! C'est pas grave. Tu as le temps de te reprendre. Penses-y, un livre de ta propre main dont tu serais le seul maître d'œuvre. Un héros qui fait tout lui-même, sans assistance. Un écrivain à part entière, sans béquille, sans artifice flamboyant ! Un succès de librairie…

À ce propos, je me pose de plus en plus de questions sur la mort de Michelina. Pas sur son meurtre, cela semble bien établi, mais sur la découverte du corps. Pourquoi il a été démembré ? Pourquoi couper les bras, les jambes et la tête de la petite ? Tu vas me dire que c'est de la cruauté, du sadisme, mais à quoi ça pourrait servir ? Pour qu'on ne la reconnaisse pas ? La liste des disparus aurait suffi à l'identifier. O.K., il n'y a plus d'empreintes digitales, de dents cariées, de tatouages, ou quoi que ce soit.

Et où sont ces membres amputés ? On ne se débarrasse pas d'un tronc dans un lieu public pour garder les autres parties chez soi. Pourquoi n'a-t-on jamais retrouvé les membres ? Peut-être, au contraire, les a-t-on trouvés ? Ici, tes talents de chercheur pourraient être utiles, encore une fois.

Je m'imagine mal Picard dépeçant Michelina. Il a violé, tué, mais pas mutilé ses victimes, si on se fie aux journaux. N'oublie pas qu'il est retourné à l'École de réforme. La petite a été séquestrée quelques mois avant d'être assassinée. Donc, il n'y pouvait rien ! Et Elward ! Cet ostie d'impotent aurait-il pu prendre une scie ou un couteau de boucher et se pencher sur les membres chétifs de Michelina ? Ça non plus, je ne réussis pas à me l'imaginer. Au mieux, il aurait regardé faire, mais n'aurait jamais eu la force psychologique ou même physique d'accomplir un tel acte.

Il reste Durand, qui avait l'avantage de vivre près du chemin de fer. Il aurait pu l'exécuter chez lui, dépecer le cadavre dans la cave, découper les bras et les jambes en plus petits morceaux, puis les lancer dans des wagons à leur passage, répartissant les extrémités du corps aux quatre coins du pays. Une main par-ci, un pied par-là. Tu trempes les doigts dans l'acide ou tu les brûles pour détruire les empreintes digitales et bingo ! Mais la tête ! C'est autre chose, une tête ! Tu peux brûler les cheveux, défigurer le visage, mais les dents ! C'est dur, des dents ! Tu peux les fracasser au marteau, mais ça devient compliqué. Alors, pourquoi déposer ou enterrer le tronc pas trop loin de la scène du crime ?

Tu sais ce que je pense ? Que le tronc trouvé dans le bois Saint-Hubert n'était pas celui de Michelina. Elle est bien morte. Elward, Picard et Durand sont bien impliqués dans sa disparition. Je trouve seulement que de laisser le tronc si près de l'endroit où le kidnapping s'est produit, ce n'aurait pas été très brillant.

Par contre, quelqu'un d'autre aurait pu profiter de la notoriété du quartier pour y laisser la trace de son propre crime ! Il aurait déposé le corps non identifiable de sa victime dans le secteur où a eu lieu le rapt de Michelina, en espérant que les forces de l'ordre sautent aux conclusions. Pour ma part, si j'avais tué quelqu'un, j'irais cacher le cadavre à l'autre bout du monde, loin, loin du site du crime. J'essaierais de brouiller les cartes, de dérouter l'enquête.

Pourtant, j'ai l'impression que Michelina n'a jamais été loin de chez elle. J'aimerais bien visiter la maison de Durand. Après toutes ces années, il ne doit plus rester de traces d'elle. Je voudrais ressentir les lieux. Voir les murs, le grenier, s'il y en a un, la cave. Examiner la cour, les platebandes, le jardin, même si je ne peux pas m'imaginer Durand ou Picard planter des radis, des tomates ou de la luzerne ! Les nouveaux propriétaires ont peut-être fait un potager, lequel serait engraissé par le corps décomposé de Minou. Qui sait ?

C'est lugubre, tout ça, mais je me pose tellement de questions. J'en arrive à douter des conclusions de Plamondon. Il faudrait vraiment examiner la cabane de Durand. Dès mon prochain voyage à Montréal, j'irai sniffer autour de ce qui pourrait être le véritable lieu du crime...

Robert

P.-S. – Comme ça, Picard est à Saint-Vincent-de-Paul. Sa proximité même me donne les *kettles*. Des frissons partout. Je ne crois pas avoir le courage de le rencontrer. Toi, peut-être ?

• 54 •

Institut de cardiologie, 29 mars 1992

Salut Robert,

Je t'écris d'une main un peu tremblante, depuis mon lit d'hôpital. Mon cardiologue me fait passer des tests. Il y a trois jours, j'ai perdu connaissance en sortant de l'épicerie. Inquiétant, mais peut-être pas si grave. Ma fille est à mon chevet. J'attends aussi la visite de mon frère et de ma sœur. Même mon ex a promis de venir me voir. La chambre va être pleine de monde.

Tes spéculations à propos du cadavre-mystère sont très brillantes. Tu te poses des questions qui ne m'étaient jamais venues à l'esprit, bravo ! Voilà bien la preuve que tu as plus d'imagination que moi. Le meilleur romancier, c'est toi, mon cher. Faisons un compromis et disons que ce roman nous l'écrivons ensemble. Ni toi ni moi ne sommes le lieutenant de l'autre. C'est l'égalité parfaite ! Mais il reste encore beaucoup à faire. Une seule personne pourra jeter de la lumière sur les coins sombres de notre intrigue : Marcel Picard. Après avoir cuisiné Michela, il faudra que tu fasses la même chose avec lui. Ne proteste pas, c'est indispensable ! Comment t'y prendras-tu pour l'obliger à se mettre à table ? J'ai ma petite idée là-dessus. Je t'en reparlerai la prochaine fois.

Quant à la maison ayant appartenu à Rosaire Durand, et que Picard a reçue en héritage, je suis entièrement d'accord : là se trouve la serrure d'une énigme dont Picard détient la clé.

Jean-Luc

• 55 •

Markham, Ontario, 8 avril 1992

Salut, mon ami,

Désolé d'apprendre que tu vas mal. Le cœur, c'est sérieux ! Heureux de savoir qu'on t'apporte beaucoup de support. Même ton ex ! Vas-tu survivre ? Si j'étais en ville, tu me verrais apparaître dans ta chambre. C'est tout dire ! Mais je suis en Ontariariario, le pays lointain, tellement que ce n'est pas possible ! Mais, j'ai pas le choix ! Frankie the Felquiste en pays ennemi. Et ça marche ! Je n'ai jamais reçu autant de sacs de *chips* vides ou de Coke en cannettes de ma carrière. Sans compter les crachats, les coups de pancartes ou les jets de bière à chaque pas dans l'allée de présentation. Mais ça paye ! La vie est belle !

Demain, je vais chez Michela. Elle accepte de rencontrer le petit gars aux cheveux bruns, l'ancien ami de sa fille. « Une voix du passé », qu'elle m'a dit au téléphone. « Ça me fait hard au cœur, mais je suis capable de te voir. *See you tomorrow.* » Ouf ! J'avais peur qu'elle refuse, se retranche dans ses souvenirs, mais la chance m'a souri. Elle avait été partiellement assimilée, parlant surtout en anglais, mais déjà, à l'époque, elle parsemait ses discours d'imprécations italiennes, québécoises ou anglaises. *Anyway*, je suis content qu'elle me reçoive. Demain, à 14 heures. J'ai presque hâte ! Bon, la suite après l'avoir rencontrée. Ce soir, je me bats contre un Arabe, qui vient de Kamloops (va savoir !). Un bon gars ! On doit aller manger après le match, des côtes croisées et des frites. On espère tous les deux avoir encore assez de dents pour gruger les os...

– – – – –

Bon, c'est fait. J'ai vu Michela. Ça a été difficile à trouver : 8400, Halverton Road, à Halton Hills dans Halton Regional Municipality. C'est pas à la porte ! De la forêt tout le tour, la maison cachée derrière les boisés, rien pour indiquer l'entrée... Bref, la misère. Mais, vue de près, c'est une surprenante résidence ! Rien à voir avec la rue Lajeunesse !

D'abord, de la végétation partout. Des fleurs vivaces et annuelles, des buissons, des arbres. Le site est digne d'un vrai palace !

La maison, c'est autre chose. Décrépite, usée, pourrie, mal entretenue. Une dent cariée dans la bouche de la nature. Près du balcon, des sculptures en ciment représentant des animaux et des anges. Beaucoup d'anges. Très italien. Ici ou là, des fontaines inopérantes de style Manneken Pis. Sans jet. Beaucoup de mauvaises herbes. Un site digne d'une histoire de peur. Stephen King serait heureux. Il en ferait un roman. O.K. ! Peut-être une *novella* de deux cents pages... C'est son genre.

Le gravier crépitait sous mes pneus. J'ai arrêté l'auto devant l'entrée principale. Le claquement de ma portière, dans le silence du lieu, m'a semblé lugubre. J'ai gravi les marches, une à une, pensant être reçu par un fantôme, un cadavre. Brrrrr...

Ben non, c'est pas vrai ! Sûr, c'est creux, mais la maison est jolie, le décor banlieusard. Michela m'attendait sur le balcon, emmitouflée dans une couverture ou un châle. Elle ne s'est pas levée, mais m'a accueilli avec un sourire. « Une vision du passé », qu'elle a dit en anglais. (Le reste de la conversation s'est passée dans la langue des Ontariariariens. Je l'ai enregistrée, je traduis pour toi. Je ne sais pas si tu comprends cette langue étrangère.) « Comment vas-tu, mon petit Robert ? » (*How are you, big boy ?*) J'étais estomaqué par sa familiarité. Pour moi, Michela Martucci était une femme, mais avant tout la mère de Michelina. Je n'avais jamais pensé qu'elle puisse me chérir (mon petit Robert) ou même me reconnaître.

Après avoir échangé des civilités, elle m'a demandé d'entrer. Il faisait frais en ce début d'avril, le printemps se laissait attendre et l'été était encore loin. Elle m'a mené dans la cuisine et m'a offert du thé. J'ai trouvé une prise de courant pour l'enregistreuse. « Un peu de grappa, avec ça ? » Je n'aime pas la grappa. C'est rude et ça manque de finesse. « Non merci, madame, vous êtes bien gentille. » (No !) Elle s'en est tout de même versé un petit verre. « À mon âge, il faut se réchauffer les os. Et calmer ses émotions. » Je lui avais déjà annoncé mes intentions, notre projet de tirer au clair les événements entourant le kidnapping et la disparition de Michelina.

« Michelina était ma fille, mon trésor. Je n'avais rien de plus précieux. Depuis plusieurs années, Giuseppe et moi, on faisait chambre à part. Seule la petite me tenait compagnie. Ma vie était bien solitaire sur Lajeunesse. Je n'avais pas de famille dans Villeray et me rendre chez mon frère Ronaldo dans la Petite Italie n'était pas évident. À cette époque, on n'avait pas d'auto et, dans le fond, je ne voulais pas trop m'éloigner et risquer de revenir après la fin des classes de Michelina. Mon frère me trouvait trop couveuse, mais dans ce quartier-là, il fallait prévenir. Giuseppe, lui, gueulait fort et roulait les mécaniques, comme on dit. Fondamentalement, il ne faisait pas grand-chose. Il s'insurgeait contre les gestes du voisin, le vétéran de la Deuxième Guerre. Pour lui, il était inoffensif. Heureusement qu'il y avait toi et Jean-Luc, c'est bien ça son nom ? Michelina vous aimait bien et j'étais rassurée que vous soyez ses amis. »

Michela était lancée et je n'avais pas beaucoup à dire. Elle semblait attendre depuis des années une oreille attentive. Son discours était prêt depuis longtemps et ma seule présence suffisait à lui délier la langue. C'est pas assez diplomate, ça !

« La vie n'a pas été facile pour la petite. Son père était affectueux, mais ses crises continuelles étaient gênantes. Il faut le comprendre, le pauvre. La Première Guerre a été dure pour lui. Après, il a été malmené par les fascistes. Son arrivée au Canada l'a soulagé, bien entendu, mais n'a pas changé sa nature profonde. C'était un homme bon, qui avait survécu au Mal. Pour lui, rien ne pouvait effacer ça. Je l'ai rencontré à l'église en 1937. Il venait d'atterrir à Montréal et, horrifié de la présence de Benito Mussolini à la Chiesa della Madonna della Difesa (l'église Notre-Dame-de-la-Défense), avait décidé de pratiquer sa religion à Saint-Alphonse-d'Youville, dans Villeray. Il était si élégant dans son nouvel habit, sa chemise trop large et sa cravate à pois. J'étais plus jeune que lui, il m'impressionnait vraiment. J'étais domestique chez les Martin, sur Lajeunesse. Lui, il avait fait la guerre. Penses-y, l'homme le plus brave que je connaisse pour s'être opposé aux Fascio de combattimento. On s'est mariés peu après et on a eu Michelina. La Renaissance ! Au début, on est resté chez mon frère Ronaldo, puis, quand Michelina a eu trois ans, on a déménagé sur Lajeunesse. On pensait amorcer nos jours les plus heureux dans ce quartier, on y aura vécu les pires malheurs.

Tout s'est gâté avec l'arrivée du nouveau voisin. Je n'oublierai jamais son nom : Charles Elward. Un anglophone qui restait sur Lajeunesse. Sa cour donnait chez ton ami. Tu t'en souviens ?

– Oh oui ! Vous n'en avez pas idée ! (*You fuckin' bet !*) », lui ai-je dit avant qu'elle ne poursuive son récit.

« Ce fou-là détestait les Italiens. Il les traitait de *wops*, de fascistes, de mangeurs de spag (*stupid spag eaters !*) et tout. Il aimait surtout intimider les enfants. Comme il n'y en avait pas des tonnes de petits Italiens dans le coin, il s'en prenait à Michelina qu'il traquait dans les ruelles quand elle se rendait à l'école. C'est pourquoi j'insistais qu'elle y aille avec toi ou Jean-Luc, ou sa sœur Marie-Hélène. Pas question de la laisser seule. Non, monsieur ! Je voulais être là à son retour. Je la surveillais par la fenêtre et si je voyais ce maquereau sortir de chez lui, j'allais à sa rencontre. À mon air, il se tenait loin, mais marmonnait des « *fucking wops* » et des « *god damn heathen* », assez fort pour que je le comprenne, mais pas assez pour attirer plus d'attention des passants.

Un autre qui m'énervait, c'était Marcel Picard. Un jour, les frères Picard ont torturé et incendié un chat dans la ruelle. Il paraît que vous étiez tous là et que vous n'avez rien fait. Ça, c'est pas gentil ! Pauvre petite. Elle n'a pas dormi pendant trois jours. Elle a bien tenté de sauver le minou, elle s'est brûlé les mains et il l'a mordue. Elle est arrivée à la maison en hurlant. Peu de temps après, toi et Jean-Luc êtes entrés dans la cuisine. Ce Picard, je ne l'oublierai jamais. *Fangul* Picard !

Puis, un soir, elle est sortie dans la ruelle et n'est pas revenue. »

Elle se tut un moment, reprit son souffle, essuya une larme.

« Ses devoirs étaient faits, elle m'a dit qu'elle allait chez Jean-Luc. Je n'étais pas inquiète, il devait être environ 7 heures trente. Je lui ai dit de rentrer avant 8 heures et demie. Elle a promis, mais sans conviction. J'aurais dû me méfier. Elle semblait cacher quelque chose. Que veux-tu, elle voulait faire comme les grands. À cette époque, moi aussi je l'appelais Minou (Kitten). Je trouvais que c'était tellement juste, pas seulement à cause de l'épisode du chat, mais de sa douceur, de son agilité, de son attitude. Vers neuf heures, j'ai commencé à m'inquiéter. Je suis allée dans la ruelle pour la chercher. Je n'ai vu personne. J'ai cogné chez ton ami. Ses parents l'ont réveillé, il m'a dit qu'il avait vu ma fille dans la ruelle vers 7 heures et demie. J'ai frappé à toutes les portes. Personne ne savait où elle était. À onze heures, j'ai appelé la police. Je me suis dit qu'elle la retrouverait, puis que je l'engueulerais comme du poisson pourri. Son père est allé frapper chez Elward, qui lui a fermé la porte au nez.

Quand les policiers sont arrivés, vers deux heures du matin, ils ont pris nos dépositions et ont commencé les recherches.

Quelques jours plus tard, Giuseppe a commencé son travail de traduction à Ottawa. Il a promis de revenir chaque week-end. Une semaine après la disparition de Michelina, je suis allée vivre chez mon frère Ronaldo. En mars 1951, ils m'ont annoncé que le corps de Michelina avait été retrouvé. C'est tout. Rien de plus précis. Elle avait été démembrée, décapitée et il ne restait que son torse. J'ai même pas voulu l'identifier. J'avais trop peur de mourir sur place. Je n'ai plus jamais revu Michelina.

– Madame Di Stefano, vous ne m'avez pas parlé de Monsieur Plamondon. Il a rencontré mon ami Jean-Luc et a beaucoup parlé de vous. »

Elle a hésité longtemps, baissé la tête et une larme a coulé le long de sa joue. Elle s'est ressaisie, a serré le kleenex qu'elle tenait à la main. Elle a soupiré. Puis elle a recommencé son récit.

« Albert Plamondon ! Sans lui, je n'aurais pas survécu. J'ai beaucoup de misère à en parler. Je ne suis pas fière de moi. Parfois on fait des choses qui nous dépassent, qui ne sont pas dans notre nature. Albert faisait partie de cette catégorie-là.

Le surlendemain de la disparition de Michelina (le 26), très tôt, un détective s'est présenté chez nous. C'est lui qui était chargé de l'affaire et qui allait retrouver ma fille. Je lui ai servi du café et du panettone, il a commencé l'interrogatoire. Il nous a passés au tordeur, Giuseppe et moi, nous demandant les noms et les adresses des amis de Michelina et de ceux qui pourraient lui en vouloir. « Vous savez, Madame, normalement, je demanderais si elle avait des ennemis, mais à son âge, ça doit être impossible. Personne ne peut avoir un enfant comme ennemi » qu'il a dit. Moi, je lui ai quand même parlé d'Elward, le raciste, de Picard, le *bum*, du simple d'esprit du bout de la rue. Ce jour-là, presque tout le monde y a passé. Tous des kidnappeurs en herbe, des tueurs potentiels, des pédophiles en puissance. Dix ans, vingt ans, cinquante ans, quatre-vingt-dix-neuf ans comme le vieux Guibord, tous les voisins étaient suspects pour moi. Albert a pris tous les noms, sans rechigner. Il n'a jamais remis en question ma santé mentale, mon amour pour Michelina. « Madame Martucci, je ne laisserai rien ni personne m'échapper. Vous avez ma parole. Rien n'est pire que la disparition d'un enfant ! Laissez ça entre mes mains. Je vous garantis des résultats. Je suis comme la Police Montée, *we always get our man !* »

Bon, ça ne s'est pas réalisé, mais il m'a tellement soulagée par ses paroles. Un homme qui contrôlait la situation, qui dominait la scène, qui pourrait régler le problème. Il avait une voix profonde, résonnante, un peu rauque. Ça doit être parce qu'il fumait beaucoup, Export A sur Export A. Un dur. Albert semblait invincible avec son habit bien pressé, ses souliers de cuir verni, sa chemise à manches longues et sa petite moustache fine, comme les acteurs américains. Puis, il sentait bon, du Old Spice. Oh ! J'en dis trop !

– Madame Di Stefano, il nous a déjà tout conté ça, s'il vous plaît, ne vous en faites pas. Il a été très discret et n'a rien révélé à propos de votre vie intime.

– C'est dommage, parce que ce n'est pas étranger à ce que nous avons eu à vivre. Quand j'ai rencontré Albert, il était charmant et noble. Je ployais sous le poids de ma peine et il était le justicier venu tout corriger. Puis, une semaine plus tard, Giuseppe commençait son nouveau travail à Ottawa. Toute la semaine, il avait été distant. On ne se parlait plus. Il restait assis dans son Lay-Z-Boy et écoutait de l'opéra sur le gramophone. J'avais l'impression qu'il m'accusait d'être responsable de la situation. Quand il m'a crié « Pourquoi tu l'as laissée sortir ? », il n'y avait rien à ajouter. Je lui ai demandé comment il pouvait partir pendant que Michelina était introuvable, il m'a dit simplement : « C'est ta responsabilité, c'était à toi de t'en occuper. Parle-moi z'en plus ! » Il a fait ses valises et m'a quitté sans rien ajouter. Pas de bec, rien…

Le lendemain, Plamondon s'est pointé à la maison. Il avait reçu, la veille, un appel de Giuseppe qui lui donnait ses nouvelles coordonnées et l'assurait de son entière collaboration. J'ai beaucoup pleuré. C'était, en quelque sorte, mon deuxième deuil. Je savais que je ne reverrais jamais Michelina. Elle était disparue pour toujours et rien ne me ramènerait vraiment mon homme. Albert m'a enlacé et a essayé de me consoler. Je me sentais en sécurité.

Giuseppe est revenu à Montréal le vendredi après le travail et est arrivé à la maison en soirée. Il est reparti le dimanche, après le souper. Tout ce temps-là, il a été renfrogné, morose. Il m'a expliqué qu'on n'avait pas assez d'argent pour maintenir le logement sur Lajeunesse et que je devrais le rejoindre à Ottawa. Moi, je ne pouvais pas abandonner ma fille. Je devais rester, être prête à l'accueillir quand les policiers la retrouveraient. Mais je n'avais pas le choix, je devais quitter l'appartement et me rendre chez Ronaldo, mon frère. Avant de partir, Giuseppe a tout arrangé avec lui et le lundi matin j'ai fait mes bagages. Ronaldo est venu me chercher dans un camion loué. J'ai effectué une dernière tournée des rues et des ruelles du quartier avant de partir. J'espérais contre toute raison que je retrouverais Minou là où la police n'avait pas réussi. C'est la mort dans l'âme que j'ai fermé la porte sur Lajeunesse et sur ma vie dans Villeray.

Giuseppe est revenu encore quelques week-ends après cela. On dormait chez Ronaldo sur le *hide-a-bed* du salon. On était huit dans l'appartement, mon frère, sa femme Maria, ses quatre enfants, Roberto, Romano, et les deux filles, Alberta et Marie-Helena. Dans un quatre et demie, c'est assez embêtant. Quand Giuseppe retournait à Ottawa, c'était mieux. J'aidais Maria dans la maison et la tension qui régnait en présence de Giuseppe disparaissait. Graduellement, Giuseppe a espacé ses visites. Après quelques mois, il n'est plus revenu, se contentant de dire : « Tu viendras à Ottawa. Je ne peux plus vivre ces déplacements constants. J'aurais avantage à travailler plus, et le patron me demande souvent de rentrer le samedi. » J'ai fait le voyage quelques fois, puis, moi aussi, j'ai espacé les déplacements.

Pendant toutes ces semaines, je rencontrais souvent Albert. Au début, il me parlait de l'enquête, et avouait son manque de succès. Plus tard, on se donnait rendez-vous dans un petit restaurant, près de chez Ronaldo. « Ça va te faire du bien, Michela. Sortir de la maison, te changer les idées. » Plus ça allait, moins on discutait de Michelina et plus il me racontait les nouvelles enquêtes qu'il entreprenait. Parce que la vie continuait, tu vois, les crimes, les vols, les meurtres ne cessaient pas malgré la disparition de mon petit chaton. Un soir que j'avais le cœur gros, il m'a tenu la main. On buvait du vin, un chianti pas cher, et on a un peu abusé. Il m'a proposé de l'accompagner à l'appartement d'un de ses collègues qui était de service. « Ta femme ne t'attends pas ? », que j'ai demandé. « Oh ! Michela ! Si tu savais comment on s'est éloignés depuis quelques années. Puis, moi aussi je suis censé être au travail. Avec tous les cas qu'on nous met sur les épaules dernièrement, ce n'est pas la première fois que je vais découcher. » J'ai alors compris ce qu'il voulait faire chez son ami. J'ai baissé les yeux et on s'est levés de table. Il a réglé l'addition, comme il le faisait toujours. Je n'avais pas assez d'argent pour payer ma part. Je ne sais pas pourquoi j'ai accepté son invitation. J'admets que malgré mes remords, je n'ai jamais regretté mon choix.

Albert et moi, on s'est rencontrés régulièrement le midi ou le soir, tantôt chez son ami, tantôt dans des maisons de chambre ou des motels. C'était habituellement assez modeste. Pour économiser, on a cessé d'aller au restaurant. Dans l'appartement de son collègue, je lui préparais des pâtes ou des plats simples. Dans les motels, on cassait la croûte avec du pain et des viandes froides. Il apportait toujours une ou deux bouteilles de vin. À bien y penser, j'ai passé, durant cette période-là, des heures magnifiques. Puis, comme toute bonne chose, ça s'est effiloché. Il a commencé à manquer des rendez-vous, il a distancé les visites.

Un soir, j'ai voulu souligner l'anniversaire de mariage de Ronaldo et Maria et j'ai décidé de puiser dans mes économies. Je les ai invités au petit restaurant où Albert avait l'habitude de m'emmener au début de notre relation. Nous venions de terminer les antipasti quand la porte du resto s'est ouverte et que j'ai vu entrer Albert, avec une femme rousse, un peu joufflue, trop jeune pour être son épouse. Le garçon les a dirigés vers une autre salle. Ça m'a coupé l'appétit. Au moment du café, j'ai proposé qu'on le prenne à la maison. On est sortis rapidement et j'ai tout fait pour ne pas être vue.

La semaine suivante, Albert m'a appelé et m'a donné rendez-vous dans un motel. J'ai longtemps hésité avant de m'y rendre, mais je n'ai pu résister. J'avais l'intention de discuter avec lui, de lui demander qui était cette femme avec lui au restaurant. Au début, il a dit que ce n'était pas grave, seulement une femme rencontrée au cours d'une de ses enquêtes. Il a affirmé que je n'avais rien à craindre à son sujet. J'ai insisté. Il a fini par avouer que la chair était faible, qu'il se sentait un rôle de confident. Il lui arrivait, à l'occasion, de s'éprendre « d'une pauvre femme malheureuse ». Insultée, je lui ai demandé de me reconduire à la maison.

Quelques mois plus tard, il a rebondi. Il prétextait avoir des nouvelles de Michelina. Surmontant ma colère et ma honte, qui n'avaient pas dérougi, j'ai accepté de le rencontrer. On s'est donné rendez-vous dans un café, près du restaurant où je l'avais aperçu avec la « pauvre femme malheureuse ». Il m'a appris qu'un corps avait été découvert dans le bois Saint-Hubert. Il m'a expliqué que les restes en question ne devaient pas être vus par une mère. « Le cadavre a été maltraité, rendant toute identification très compliquée », a-t-il ajouté avec délicatesse. « Puis le corps est là depuis l'hiver. C'est la fonte des neiges qui a permis de le retrouver. Ce n'est pas beau à voir. Envoie Giuseppe l'identifier.» Il est à Ottawa.» «Il faudra qu'il se déplace !»

Giuseppe s'est prêté à l'exercice et en est revenu bouleversé. Il m'a seulement dit que le corps était tellement abîmé, qu'il était impossible de l'identifier. Albert, lui, n'a pas hésité. Il a déclaré que le tronc était celui de Michelina et que l'affaire, en ce sens-là, était close.

Je n'avais rien d'autre à faire à Montréal. J'ai rejoint Giuseppe à Ottawa, promettant, je ne sais pas pourquoi, que je communiquerais avec Plamondon si je venais à Montréal visiter la famille. Je n'avais plus le goût de l'appeler Albert. Son nom de famille me suffisait. Giuseppe et moi avons commencé notre deuil, mais j'ai continué d'avoir des doutes. Même si je m'étais faite à l'idée que Minou était morte, je demeurais sceptique. Était-ce bien le corps de Michelina ? J'ai toujours pensé qu'elle se trouvait ailleurs, que ce n'était pas ma fille qui avait été retrouvée, mais une autre petite innocente.

Un an plus tard, je suis revenue visiter Ronaldo et Maria. Giuseppe ne voulait pas m'accompagner parce que Montréal, disait-il, lui rappelait trop de mauvais souvenirs. Le deuxième jour, j'ai appelé Plamondon. On s'est fixé un rendez-vous au restaurant de nos premières rencontres. Mon amertume s'était atténuée et j'ai pris plaisir à le voir. À la fin du repas, il m'a proposé de renouer. J'ai hésité un peu, mais je m'ennuyais tellement du contact physique qu'un homme pouvait m'apporter que j'ai cédé. Giuseppe et moi, tu sais, on ne faisait plus l'amour depuis longtemps. Il ne manifestait même pas d'affection par un effleurement de la main ou un baiser le matin en partant travailler ou le soir en rentrant. Foncièrement, il me blâmait encore pour la disparition de Michelina, j'en suis certaine. Avec Albert, on s'est rencontrés quelques fois par année, jusqu'en 1962 ou 1963, je ne m'en rappelle plus. Puis, j'ai pris une décision, mettant fin à cette aventure qui n'était vraiment pas digne d'une femme comme moi. Je dois admettre que Maria y a été pour quelque chose.

Un soir que son mari n'était pas à la maison (il s'était rendu dans un bar italien voir une partie de foot avec ses copains), que ses enfants étaient tous partis, l'un à une danse, l'autre chez une amie faire ses devoirs et tout et tout, Maria s'est approchée de moi et m'a demandé quand toutes mes sorties étranges allaient cesser. Parce que je ne mentionnais jamais, quand je rencontrais Albert, où j'allais, ni avec qui. Elle se doutait de quelque chose. Ronaldo, mon frère, s'indignait de cette situation. « Elle baise avec quelqu'un, cette *puta*, affirmait-il, j'ai honte, il ne faut pas que ça se sache.» J'ai demandé à Maria s'il en avait parlé à Giuseppe. « Es-tu folle, dit-elle, Ronaldo déteste Giuseppe. Depuis qu'il s'est lavé les mains de la petite, il n'est pas digne d'être de la famille. Un père qui abandonne ses enfants, ce n'est pas Italien !» Parce qu'il considérait que Giuseppe avait abandonné sa fille. En ça, j'étais assez d'accord. Maria et moi avons longtemps parlé. Je lui ai tout raconté, après qu'elle eut promis l'omerta sur le sujet.

Pour elle, Plamondon était un charlatan qui n'avait jamais fait le nécessaire pour retrouver la petite. Un incompétent, qu'elle disait. Un carriériste qui ne méritait pas mon amour. Pire que Giuseppe, parce qu'il avait, selon Maria, enterré l'affaire. Il voulait seulement profiter de la mère. « D'ailleurs, tu vois, plus rien ne se passe, personne n'en parle. L'enquête, excuse le mauvais jeu de mots, est morte. Personne ne pourra la tirer au clair.» »

C'est à ce moment-là, Jean-Luc, que j'ai voulu lui raconter nos découvertes. Avant que je n'ouvre la bouche, Michela s'est levée, a regardé l'heure et m'a annoncé qu'elle préparait le souper. J'ai prétendu devoir partir, ne voulant pas m'imposer. Elle a insisté. « *Silencio !* Un ami de ma fille est venu de si loin pour me voir, il ne repartira pas le ventre vide. D'ailleurs, j'ai un peu l'impression qu'elle est ici, avec toi. J'insiste pour que tu restes. » Et voilà pourquoi j'ai soupé avec Michela.

Pendant qu'elle s'affairait dans la cuisine (elle avait refusé mon aide et exigé que je m'assoie avec un verre de Cinzano), j'ai eu le temps d'examiner la pièce. Aujourd'hui, Michela est une femme âgée. Sa vie est faite de peines et de bonheurs anciens. Dans un coin du salon, le fini patiné et lézardé d'un piano droit reflétait la lumière. L'instrument servait régulièrement.

Les autres meubles étaient vieux, usés, attestant d'une utilisation constante. Ils étaient manifestement de facture italienne, larges et sans intérêt. Ils n'avaient pas passé leurs vies sous des housses transparentes et lourdes. C'était une pièce où il faisait bon vivre et qui avait été habitée par de vraies personnes, menant de véritables existences.

Ce qui frappait surtout dans cette demeure, c'était la profusion de photos de famille. Sur les tables de chevet, sur le linteau de la fausse cheminée, sur les étagères. L'une des photos montrait Michela et

Giuseppe devant les Chutes du Niagara pendant leur voyage de noces. Il y en avait quelques-unes de Michela avec son frère, une autre avec lui et une femme qui devait être Maria. Une photo montrait Ronaldo, son épouse et leurs quatre enfants. Certaines photos étaient de gens que je ne connaissais pas : des oncles, des tantes, des voisins, des amis, sans doute. Mais plus que tout, il y avait celles de Michelina.

Le piano lui était consacré, comme un autel. Des photos de bébé, de première communion, des photos prises à Noël et à Pâques, des photos devant la maison sur Lajeunesse et des photos d'école, photos figées et sans inspiration d'enfants trop propres, dans des poses fabriquées, avec des fonds dignes des chromos : bibliothèques, rideaux de tulle, cercles de lumière en trois couleurs. Des portraits de classe avec des petites en rang d'oignons, les plus menues en avant, les plus grandes en arrière. Au centre, des religieuses guindées ou des femmes, manifestement de vieilles marâtres, qui avaient dû terroriser les fillettes derrière elles. Une seule d'entre elles souriait, une jeune novice défigurée par une tache de vin. Il y avait aussi des photos de photomatons coincées dans les coins des cadres, ajoutant une nouvelle profondeur aux souvenirs du passé. Toutes étaient en noir et blanc, sauf une ou deux d'entre elles : des Polaroïds, aux couleurs saturées ou affadies, sûrement prises par un oncle amateur de gadgets.

La photo la plus surprenante pour moi, parmi cette forêt de cadres aux formats divers, aux matériaux variés et aux décorations surannées, était une image de Michelina debout entre deux petits garçons. Tu l'auras deviné : Michelina avec toi, Jean-Luc, à droite, et moi, Robert, à gauche. Comme si le photographe avait prévu nos allégeances politiques à l'âge adulte. Michelina souriait. Nous, on se ressemblait déjà. Moi, j'avais un masque de Zorro, des salopettes et un chandail bariolé. Toi, tu portais un habit de première communion aux manches trop courtes. On voyait tes poignets. Les pantalons montraient tes bas blancs jusqu'à la cheville. Je me souviens de ce jour-là. Ton père avait décidé de nous photographier, et ta mère t'avait pomponné dans tes plus beaux atours.

Un vrai petit monsieur. Michelina, elle, portait une robe à fleurs, comme à tous les jours pour aller à l'école. On pouvait deviner les taches sur le devant, à la hauteur des seins. Du lait au chocolat et de la vinaigrette de sa salade du midi. Les trois mousquetaires. Les trois amis. Ma gorge s'est serrée. J'ai compris que nos destinées étaient liées depuis l'enfance. Mais pourquoi avons-nous attendu quarante ans ?

J'en étais là, quand une odeur m'a assailli. Des effluves d'oignons, de tomates, de romarin et d'épices italiennes. Et d'ail ! Les mêmes odeurs qui émanaient de chez Michelina, dans la ruelle Saint-Gérard. Un fumet que je n'avais jamais rencontré ailleurs, sinon en Italie. Un parfum unique, lié à ma jeunesse. J'ai dû me rasseoir, les genoux en compote. J'ai versé une larme. Puis une autre. « Robert, ça va être prêt bientôt. » Je n'avais pas de voix pour lui répondre. « Robert, dit-elle sur un ton plus doux, en revenant dans le salon, dors-tu ? » J'étais assis là avec la photographie dans les mains. La gorge nouée. « Ah ! votre photo avec Michelina ! *Madre Mia* qu'elle l'aimait celle-là ! C'était sa préférée. Elle la gardait dans sa chambre. » La photo, l'odeur, j'étais estomaqué. Ne sachant quoi dire, j'ai remis le cadre à sa place sur le piano.

Pendant le souper, je l'ai mise au courant de nos recherches. Je lui ai révélé ma présence dans la ruelle le soir de la disparition de Michelina, la scène dans la cuisine d'Elward, ma fuite, ma peur d'enfant et mon retour à NDG. Personne n'avait eu connaissance de ma présence, sauf Elward et Picard. Plamondon ne m'avait pas interrogé, puisque je n'habitais plus le quartier. J'étais de passage. La lettre de Michelina m'a convaincu qu'elle était saine et sauve. À mon âge, je ne pouvais pas mesurer la gravité de la situation. « Pauvre petit ! », qu'elle a dit. Je me suis mis à pleurer. Je lui ai alors parlé de nos rencontres, toi et moi, de notre correspondance depuis 1990. Il valait mieux s'éveiller avec quarante ans de retard, a-t-elle dit, que rester endormi. Évidemment, à l'époque je ne pouvais pas savoir, et toi, tu n'avais pas allumé non plus. Depuis, nous avons fait de grands pas. J'ai expliqué pourquoi nos soupçons portaient sur Picard, Elward et Durand, l'aumônier des louveteaux. « Fangul, Picard et Elward, mais Durand, je n'en avais pas idée. Plamondon ne m'en a jamais parlé. Je sais que Durand était avec les louveteaux, mais je n'ai jamais pensé à l'aumônier des Jeannettes. Un illuminé qui nous faisait peur à cause de ses excès religieux. Même pour de fervents catholiques comme nous, certains comportements n'étaient pas acceptables. »

J'ai explicité le rapport entre Picard et Elward, l'agression dont j'ai été victime dans les ruelles de NDG. « Pauvre Robert, si on avait su ça à l'époque ! » Je ne savais pas quoi ajouter. J'ai parlé de la résidence de Rosaire près des voies ferrées, du lien entre Durand et Elward. « Il était aumônier dans l'armée ? Il avait rencontré Elward à la guerre ? Comment ça se fait que Plamondon n'a jamais su ça ? Un incompétent, comme disait ma sœur. Et vous avez appris ça comment ? » « Par le mari de la sœur de Jean-Luc… Et vous, que pensiez-vous de Picard ? » Elle n'a pas hésité très longtemps.

« Un *bully* ! Vous connaissez ça en français ? Un méchant, un batteur d'enfants et de vieillards. (*A fucking asshole !*) Il effrayait bien des femmes. Ta mère, par exemple. Elle se tenait loin de lui, de peur d'être malmenée. Elle me l'a avoué une fois à l'épicerie Plourde. Il n'y avait que Michelina pour voir du bien en lui ! Même après ce qu'il avait fait au chat ! Quelle innocente ! Toi, ton père n'était jamais là, et elle se sentait d'autant plus vulnérable. Une graine de bandit, ce Picard. Il volait les pommes des gars à l'école, bousculait les filles dans les queues. Je le voyais souvent aller chez Elward et, depuis la torture du petit chat, je savais que ce garçon était le mal incarné (*demon seed*). Le soir de la disparition, j'ai tout de suite pensé à lui, mais d'après Giuseppe, il ne pouvait être coupable : « Son père m'a dit qu'il était à l'École de réforme.» Ça m'a rassuré, mais pas plus qu'il faut. Un gars qui brûle des chats vivants peut bien décider de tuer des petites filles. D'après ce qu'on nous montre à la TV, il n'y a qu'un pas. Plamondon ne m'a jamais parlé de Picard. Ou bien il ne savait pas la vérité, ou bien il me la cachait. »

Michela a émis des paroles incompréhensibles qui ressemblaient à des imprécations malicieuses en italien. Puis elle s'est signée. Tu sais, le signe de croix.

On a poursuivi en discutant de choses et d'autres : de toi, de ton divorce après le suicide de ton fils, de moi, de mon jeu d'identité avec le monde de la lutte. « Pinocchio Loco ! Le nom te va bien ! », a-t-elle dit après avoir appris ma fourberie. « La vie est un combat », clamait Bob Legs Langevin, le célèbre promoteur québécois. C'est vrai.

Puis, je suis parti. Je prévoyais me rendre à Sudbury le lendemain, voir les tombes d'Elward et de sa mère. Mais quand je suis arrivé à Markham, j'étais fait ! J'avais trop mangé et trop bu. De la grappa, de la grappa, de la grappa, du Chianti et de la Sambucca, tu sais, avec des grains de café, de la flamme et tout. J'ai été chanceux de pouvoir retourner au motel sans escorte policière.

Je ne suis pas encore allé à Sudbury. Je vais peut-être passer une partie de la journée ici. La lutte peut attendre. L'impression laissée par Michela est trop intense. Je n'ai pas l'habitude d'émotions de ce genre. Partir, se faire casser la gueule, revenir, ça, ça va. Il y a quelque chose d'humain là-dedans. La sentimentalité, l'affection, l'amitié, ça, ça ne pardonne pas. C'est pas dans une chambre minable que des liens comme ceux-là se développent.

L'image de Michelina entre nous deux me hantera toute ma vie.

Robert

• 56 •

Sudbury, Ontario, 11 avril 1992

Hi ! Oh !

Quelle platitude, le Canada profond (une chance que je ne vais pas vers l'Ouest) ! Sudbury est une ville ennuyeuse.

TABARNAK ! C'est un trou ! Plus creux que ça, tu peux juste remonter. De Toronto, ça prend cinq, six heures pour s'y rendre. Cinq cents kilomètres de trajet. La 440 devient tellement déprimante, si loin de l'eau, qu'on ne voit que des arbres. On croise Bame (allô !), Parry Sound ! (ouf !). Ensuite, on commence à compter les villages. North Parry, Nobel, Woods (ayoye !), Point au Baril Station, Still River et toutes sortes de places ridicules sur la « Trans Canada Highway, 69 » jusqu'à Sudbury. CHRIST ! C'est creux !

Je reviens du Park Lawn and Cemetarium, aux Cemetaries of the City of Greater Sudbury. Charles Gregory Elward ou sa mère ne s'y trouvent pas. J'ai fouillé tous les dossiers, cherché sous Julie Vaillant, son nom de fille, RIEN.

Si on se fie à tes dires, la maman d'Elward l'a suivi à Sudbury. Ils devraient y être morts tous les deux, mais on dirait que non. C'est toi qui aurais dû y aller. Tu aimes tellement ratisser les cimetières, réveiller les morts et décrotter les archives. Moi, je n'ai rien à faire ici. J'en ai assez ! Je retourne chez moi.

Robert.

• 57 •

15 avril 1992

Salut Pinocchio Loco,
alias Frankie le Felquiste,
alias Zorro,
alias Robert,

Tes deux lettres me sont parvenues à 24 heures d'intervalle. Celle de Toronto comme celle de Sudbury, ont été oblitérées… à Sudbury ! Le rideau se déchire, tu as donc renoncé à ta fabuleuse mise en scène. Puisque tu mets bas les masques, je n'ai plus aucune raison de faire semblant. Mon vieux, je connais ton secret depuis un bon bout de temps. J'ai acquis la certitude le mois dernier – mais j'avais des doutes depuis longtemps – que tes lettres provenant soi-disant de Burlington, de Chicago, de Londres, d'Hawaï, de Bangkok, de Miami, Wichita ou Nashville, en passant par « Quelque part au Québec », « Toujours au Québec » ou « Val-Morin », ont toutes, sans exception, été écrites chez toi à NDG, puis postées par toi à NDG dans un bureau de poste de NDG où je t'ai vu entrer et d'où je t'ai vu sortir le 15 mars dernier entre 15 heures 20 et 15 heures 25. Je t'ai suivi, tu es entré dans un édifice de la rue Girouard. Ton nom n'est pas inscrit sur la liste des huit occupants. Peut-être habites-tu à cet endroit sous un nom d'emprunt. Roberto le crosseur, par exemple ? J'aurais pu cogner aux huit portes, mais de te faire une aussi grosse surprise à ce moment-là aurait été beaucoup plus dur pour mon cœur que pour le tien. Ma décision était prise : *wait and see.*

La lettre reçue cinq jours plus tard provenait de Rouyn-Noranda. Rouyn-Noranda, mon œil ! NDG ! À cette règle, il n'y a que deux exceptions : Toronto et Sudbury ! J'étais absolument certain que tu ne le ferais jamais ! Qu'est-ce qui a pu te convaincre de sortir de ta tanière ? Ne perds pas ton temps en excuses et en explications, j'ai très bien compris.

Tu m'as donc menti depuis le début, sans doute pour d'excellentes raisons. Pourtant, tout au long de notre correspondance, tu as parsemé des indices qui, rétrospectivement, me paraissent clairs comme de l'eau de roche : « S'il y a quelqu'un qui sait faire la différence entre la réalité et la fiction, écrivais-tu dans ta lettre du 6 mars 1991, c'est moi. Oui, je vis continuellement dans l'imaginaire, dans l'invention, dans les fausses identités. Oui, le mensonge fait partie de mon existence. ». Je n'y ai vu que du feu et, loin d'être fâché, je trouve ça formidable, pour ne pas dire merveilleux ! Tes connaissances encyclopédiques sur le monde de la lutte, hallucinant ! Quel mal de fou tu as dû te donner ! Tout avait l'air si vrai ! Chaque fois que des doutes m'assaillaient, je les balayais sous le tapis !

Tu n'as jamais été lutteur. Tu n'es jamais sorti de chez toi, sauf pour de brefs allers et retours au bureau de poste. Pour le reste, comment je vais faire pour séparer le vrai du faux, le probable de l'invraisemblable ? Quand tu écris, par exemple : « Michelina me racontait ce que faisait ou menaçait de faire ce déviant, les attouchements subis par ses amies. », ça ne tient pas plus debout que ta rencontre avec Elward à Bangkok, ou tes amours avec la lutteuse... comment s'appelait-elle déjà ?... Olga, les grosses boules. Si Michelina t'avait raconté ses déboires, elle les aurait confiées aussi à ma sœur ou à moi.

Autre invention aussi crédible qu'une apparition de la Vierge à Ville-Émard : tu prétends avoir croisé Pierre Pichette sur Sainte-Catherine. « Il m'a expliqué les raisons de son déménagement, une année avant moi. Ses parents n'aimaient pas le quartier. "Surtout le fou au masque à gaz", m'a-t-il dit, "puis Picard, son chien de poche", etc. ». Pourquoi ne pas avoir ajouté CQFD ? Cousu de fil blanc ! Désolé, mais je ne te crois pas ! Ou plutôt, je ne te crois plus. Mais peu importe, ça fait une sacrée bonne histoire !

C'était trop beau ! Je regrette que ce soit fini ! Car c'est bien fini, n'est-ce pas ? Tu es vraiment allé à Markham et à Sudbury ! Pour Markham je n'ai aucun doute : Michela et Plamondon se sont parlé au téléphone. Il voulait vérifier si tout s'était bien passé entre elle et toi. Non, il ne sait pas encore que tu es un cloîtré se faisant passer pour un lutteur au long cours. Il a vraiment cru que tu ferais un détour à Toronto entre deux combats dans l'arène. Moi, au contraire, je ne croyais plus ni à tes combats ni à ton intention d'aller rendre visite à Michela, ni même à quatre-vingt-dix pour cent des sornettes que tu me serines depuis deux ans. Après t'avoir suivi le 15 mars, j'ai continué de jouer le jeu juste pour voir… Finalement, j'ai perdu : tu es allé à Toronto et tu as parlé à Michela. Tu as été parfait, mon vieux, absolument parfait ! J'ai les avant-bras couverts d'ecchymoses à force de me pincer. Maudit malade !

Je ne la trouve pas touchante du tout l'histoire de la photo. Braille si tu veux, mais braille tout seul ! Comment elle s'est retrouvée chez les Martucci, fouille-moi ! J'avais huit ans, et comme tu dis, ma mère tenait à ce que j'aie l'air propre. Que je sois ridicule, elle s'en fichait éperdument. Me faire porter de force, à huit ans, mon costume de première communion ! J'irai cracher sur sa tombe !

Les confidences de Michela ne nous font pas avancer dans notre recherche, mais elles sont… je cherche le bon mot… oui, elles sont émouvantes. Je le pense vraiment ! Que Plamondon n'ait pas été un Sauveur, que son enquête n'ait pas été impeccable, rien de plus plausible. Je le vois la semaine prochaine, je ne lui cacherai rien. Je vais même le cuisiner un peu et ne me gênerai pas pour le mettre au fait des reproches de Michela. Leur histoire de cul ne m'intéresse pas. Ce qui m'importe, c'est de lui faire avouer les lacunes de son enquête. S'il a commis des fautes professionnelles, qu'il l'admette !

Tu n'as pas retrouvé les sépultures d'Elward et de sa mère. Tant pis, je m'en soucie comme de ma première chemise. Elle a bien pu mourir à Sudbury et être inhumée « Quelque part au Québec », où vivait sa famille. Je ne me donnerai pas la peine de vérifier. Quant à Elward, tout ce que je sais, c'est qu'il est mort. Peut-être a-t-il été enterré comme son père au cimetière militaire Beechwood à Ottawa. Mais j'peux t'y m'en crisser !

Tes remarques idiotes sur l'Ontario ! Maudit borné ! Tu peux bien avoir choisi le pseudo pseudonyme de Frankie le Felquiste ! Déjà, à l'époque de McGill français, tu étais fanatisé au point d'en être insupportable. Le pire, c'est que tu ne te rendais pas compte que toi et ta meute de séparatistes fascisants étiez manipulés par une gang de gauchistes staliniens, des Anglais pour la plupart ! Tu te souviens de nos discussions ? De nos prétendus idéaux communs ! Mon œil ! Je me trouvais sur la rue Sherbrooke tout à fait par hasard. J'étais libéral et je le suis resté ! J'ai voté Libéral en 70, en 73, en 76, en 81, en 85, en 89. Quand le boulevard Dorchester a été rebaptisé boulevard René-Lévesque, la seule raison pour laquelle j'étais content, c'est que j'allais pouvoir lui rouler dessus avec mon char !

Une nouvelle qui t'intéressera : la cabane de Rosaire et Marcel est à vendre. Mes finances sont un peu serrées, mais j'ai l'intention de l'acheter. Et toi, disposes-tu de quelques économies ? Tu habites un édifice décrépit, ton loyer ne doit pas être très élevé, peut-être as-tu les moyens de te payer une ruine. Et puisque tu as décidé de ne plus te cacher, pourquoi ne pas en discuter face à face ? Tu connais mon adresse et mon numéro de téléphone. Si tu décides de me rendre visite, s'il vous plaît, enlève ton masque avant de franchir le seuil. Et décide-toi vite, ma santé est loin d'être excellente.

Jean-Luc

P.-S. – J'attends la visite de Nathalie. Si j'ai bien compris, elle viendra avec ta fille. Elles sont devenues très amies, paraît-il. Compte sur moi pour lui apprendre tout ce que je sais à ton sujet. Mais peut-être te connaît-elle mieux que moi. Je vais en avoir le cœur net avant qu'il cesse de battre.

• 58 •

Dacca, Bangladesh, 18 avril

Salut l'ex-comptable !

Je fais ma tournée d'adieu. J'ai décidé de quitter le ring. Un adversaire de taille m'a démasqué. Quand un lutteur se fait enlever son masque dans l'arène, il perd son honneur, sa fierté. Il perd son identité ! Depuis deux ans, je vis la plus merveilleuse aventure. Je parcours le monde, je rencontre des êtres fantastiques, je visite des contrées féériques. J'en ai besoin. Ma vie était tellement banale. Rien ne me tentait. J'étais replié sur moi-même. Notre correspondance m'a permis de rêver. Une existence vide nous mène à la fabulation. C'est comme ça.

Pense ce que tu veux, mes propos sur ma jeunesse (et la tienne) sont véridiques : les aveux de Michelina, ma peur d'Elward, la scène dans sa fenêtre. J'ai été agressé par Picard et Elward à NDG. J'ai rencontré Pichette sur Sainte-Catherine. Tout est vrai ! J'ai peut-être forcé un peu la note, mais avec tellement de plaisir. Une symphonie ! Ma peur de l'Homme au Masque à Gaz a gâché ma vie. En m'enfermant chez moi, j'ai perdu ma liberté. Au moins, je n'ai jamais été libéral !

Es-tu aussi crédule que tu le parais ? Rouler sur René Lévesque ! C'est pas fort ! Tu es en colère, ça t'emmène à proférer des déclarations insensées. Ressaisis-toi !

Quant à la maison de Durand, je vais y penser. Moi aussi, je la vois comme le centre de l'affaire.

Voilà ! J'ignore si on va encore s'écrire, mais j'aimerais bien qu'on finisse cette enquête.

Pinocchio Loco

• 59 •

Montréal, 2 mai 1992

À qui de droit,

Désolé d'avoir mis autant de temps à te répondre, mais j'ai été trop occupé.

Je reviens des funérailles de Plamondon. Malgré ses 84 ans, rien ne laissait entrevoir une fin aussi rapide. Il s'est couché le 24 avril au soir et ne s'est jamais réveillé. Je l'ai rencontré le 22 dans l'après-midi, il avait l'air en parfaite forme. Les déclarations de Michela sur son enquête l'ont ébranlé, mais pas au point de provoquer sa mort. Il n'avait, avouait-il, qu'un seul reproche à se faire, celui d'avoir négligé la piste qui menait à Marcel Picard. Il a dû s'en mordre les pouces jusque dans son dernier cauchemar. Sa seule consolation : Picard venait d'être renvoyé en prison. Il avait l'intention d'aller lui rendre une petite visite...

Quant à ses amours avec Michela, je ne peux que répéter ses paroles : « Chose certaine, je l'aimais, cette femme-là ! Et j'aurais fait n'importe quoi pour retrouver sa fille ! Si elle croit le contraire, c'est qu'elle a complètement perdu la mémoire ! ». Tu peux te faire l'avocat de Michela, je ne me ferai pas celui de Plamondon. Chacun a sa façon de voir les choses – dans son cas à lui, je devrais parler au passé –, grand bien leur fasse !

Aux funérailles, j'ai rencontré le gendre de Plamondon. Il s'appelle Normand Dumas. Il est membre du SPCUM, comme je te l'ai déjà dit. Il y a quelques semaines, son beau-père l'a mis au courant de nos découvertes. Le bonhomme est à deux ans de la retraite, mais l'affaire l'intéresse. Une réouverture de l'enquête lui semble possible. Je lui ai aussi demandé ses conclusions sur la lettre de Michelina, qu'il devait faire expertiser.

L'examen n'a donné aucun résultat probant. Quelques empreintes digitales – les tiennes et les miennes probablement – du papier tout à fait standard à l'époque, quelques caractères plus pâles ou plus foncés, etc. Le technicien n'a pu déterminer la marque de la machine à écrire. Seule la découverte de cette dernière pourrait nous faire avancer. Malheureusement, il y a longtemps qu'elle doit pourrir au fond d'un dépotoir sous des tonnes de déchets.

Ta fille est très sympathique. Je lui ai tout raconté, elle n'a pas bronché. Ses haussements d'épaules en disaient plus long que n'importe quel discours. Elle ne te déteste pas, je dirais même qu'elle éprouve pour toi une certaine affection marquée d'un rien de réprobation. Il paraît que tu aurais tendance à fabuler ! À chacune de ses visites, tu lui racontais des histoires à dormir debout. C'est tout simple, elle croit que son père est dérangé. Fou, peut-être ?

Jean-Luc

60

Kuala Lumpur, Malaisie, 8 mai 1992

Salut,

À propos de ma folie, c'est confirmé. Je suis passé voir l'ancienne maison de Durand et Picard. De l'extérieur, ça ne paie pas de mine. Sur la rue Foucher, c'est probablement LA plus laide et décrépite. Un étage, en bois, peint en brun, un de ces bruns sales comme on n'en voit pas souvent. À l'arrière, une sorte d'appentis ou de rallonge en tôle blanche. Les propriétaires actuels ont pomponné un peu la devanture avec des fleurs en plastique et des vire-vent colorés. La porte principale est vitrée sur les trois quarts et en métal pour le reste. Une cigogne en aluminium brossé protège la vitre contre les cambrioleurs. Je n'en vois pas l'utilité. Il faudrait beaucoup d'imagination pour y voir un endroit propice à un cambriolage. Un squat, à la rigueur.

Je l'ai achetée, sans inspecter l'intérieur. Comme ça, sur un coup de tête.

Je l'ai eue pour 53 000 $, l'agent m'a fourré. « Je comprends que vous ne vouliez pas voir l'intérieur. Tous les visiteurs ont eu la même réaction. Ils ont tous prétendu que ça devait être démoli et reconstruit. C'est le terrain qui vaut quelque chose. Tu jettes tout à terre et tu y construis un beau petit bungalow. » C'est certain que je vais démolir, mais mur par mur, clou par clou, une planche à la fois.

On passe chez le notaire la semaine prochaine. Je vais payer comptant. Toutes mes années sur Girouard m'ont permis de faire des économies. Le petit héritage de ma mère a rendu la chose possible. Je ne prévois pas habiter les lieux, seulement y aller pour fouiller. Juste à l'idée que Michelina ait pu y être enfermée et peut-être tuée, m'enlève le goût d'y vivre. Au pire, quand on aura fini nos recherches, je la ferai démolir et vendrai le terrain. Quelqu'un pourra y construire « un beau petit bungalow » ou une maison comme ses voisines, de style italien de Saint-Léonard, avec des garages en dessous et de longs balcons en fer forgé en avant. De toute manière, ça ne sera pas mon problème.

Pis ça vient meublé !

RD

• 61 •

Manille, Philippines, 15 mai 1992

Bon, c'est fait.

J'avoue être très fatigué. Tous ces voyages m'ont épuisé. L'âge me rattrape. Je commence à subir les contrecoups de ce métier : arthrose, côtes fragiles et tout. Tu comprends ?

Les papiers fournis pas le notaire m'ont appris que Rosaire Durand a acheté la maison en 1947. Marcel Picard en a hérité en 1970 et y est demeuré jusqu'en 1975 – l'année où il a été arrêté et condamné. La « cabane » a ensuite été vendue à un couple de Bolton Sud pour la modeste somme de 22 000,00 $. Ce couple est décédé cette année, leurs enfants ont décidé de tout liquider. Le fils habite en Colombie-Britannique, la fille au Saguenay. La transaction a été rapide parce que je n'ai pas eu à attendre la banque ni le rapport d'inspection.

On m'a remis les clés, demain je vais enfin visiter. Ça m'inquiète un peu. Je continue cette lettre après ma tournée.

– – – – –

16 mai 1992

Incroyable !

La maison est située au nord de la voie ferrée, à l'angle de la rue Port-Royal Est. Quand Durand a acheté, celles situées au sud ne devaient pas exister. Seulement un champ de mauvaises herbes ou des cabanes comme la mienne. Ma cabane au Canada !

La première chose qui frappe en entrant, c'est l'odeur. De la pourriture et de l'humidité mêlées aux effluves de tabac rance et de suie. Ils devaient chauffer au bois. Aujourd'hui, il pleut, le toit ne résiste pas : des chaudières et des pots de margarine reçoivent la pluie ici et là. L'eau stagnante, la nicotine, la créosote et les vapeurs de colle qui se dégagent des tapisseries assaillent le visiteur. Une vraie chiotte !

La maison (c'est vite dit) a un plafond très bas – environ sept pieds – et comprend cinq pièces. Deux petites donnant de chaque côté de la porte principale, une chambre où un matelas double croupit sur le sol, une salle de bain et une cuisine à l'arrière. Un appentis-remise-hangar en tôle ondulée empiète sur la cour. Cet espace repose directement sur la terre battue. Ici, l'odeur de terre domine les autres. Les anciens propriétaires ont eu la « générosité » de laisser une demi-corde de bois où les souris et les écureuils ont, comme on dit, « élu domicile ».

Les meubles abandonnés ici et là sont dans un état pitoyable : de vieux fauteuils, tous de styles différents, couverts de tissus fleuris ou bariolés – je n'ai pas voulu m'y assoir de crainte de me faire engloutir – des tables de chevet en mélamine, des lampes sans valeur aucune.

La salle de bain est encore plus surprenante. Le bain et le lavabo sont tapissés d'une sérieuse couche de crasse et, de toute évidence, n'ont jamais connu les bienfaits d'un récurrent. Pas besoin de dire que les robinets coulent, imprimant des coulisses de rouille autour des drains. La toilette est fendue et laisse filtrer un léger filet d'eau. Le plancher sous la cuvette est pourri, les odeurs d'urine et de moisissure se mêlent au reste.

Dans la cuisine, une ancienne table en arborite turquoise – tu sais avec des éclats d'étoiles – trône au centre de la pièce. Les chaises me font penser à celles de ma grand-mère : pattes de métal, sièges et dossiers rouges et craquelés. Le rembourrage sort de partout, malgré le scotch tape qui devrait le retenir.

Le poêle est spectaculaire. La porte crisse, grince et craque. Les surfaces sont encrassées, graisseuses, égratignées. Elles n'ont pas été mieux lavées que les appareils de la salle de bain. Le four est aussi pire : une couche de nourriture calcinée fait un bon demi-pouce dans le fond, près de l'élément chauffant.

Le réfrigérateur ressemble à une expérience de chimie. La nourriture a été abandonnée et tout est pourri. Un incubateur de pénicilline. Je n'en rajouterai pas plus.

Il y a un poêle à bois dans un coin du corridor. C'est un miracle que la maison n'ait pas flambé. Aucun coupe-feu à l'arrière, aucune brique ignifuge au sol. Tu vois le genre !

Dans le corridor, une porte mène à la cave. Une cave, c'est vite dit. Plutôt un vide sanitaire. (Ce mot-là est étrange dans le contexte de cette maison.) Une section de quatre pieds de hauteur sur terre battue, une autre de six pieds avec un plancher de béton. Les murs de la fondation sont en pierres juxtaposées et laissent couler l'eau. Une mare de boue stagnante s'est formée au pied de l'escalier.

Je n'ai pas encore parlé des revêtements muraux. Une collection de tapisseries de mauvais goût qui pèlent. Des coulisses d'infiltrations d'eau partout. Des cernes, des coulisses, des cernes, des coulisses. Sans compter les fantômes des cadres qui ont été décrochés.

Mais le pire, Jean-Luc, c'est la sensation que Michelina est là avec moi. Je la sens. Minou ! Des frissons me parcourent le corps. Son odeur flotte dans l'air. Je circule dans la maison, en prenant soin de ne toucher à rien, et j'ai peur de la voir apparaître au tournant des coins ou en entrant dans une pièce. Cette impression m'est surtout venue dans la cave. Bien entendu, je m'attends à ce que Durand l'ait enfouie sous la terre battue. La place me donne les *kettles*.

En rentrant chez moi, j'ai appelé un entrepreneur, JLB Excavation, pour qu'ils s'attaquent au sous-sol. Tu sais comment ils sont : pas avant deux semaines. D'ici là, je vais commencer avec le rez-de-chaussée. C'est tellement décrépit que ça ne devrait pas être difficile à démolir.

Bon, je me paye deux ou trois douches chaudes. Question de me décrasser. Je t'écris quand il se sera passé quelque chose.

Robert « Le Propriétaire » Daigneault.

• 62 •

Port Moresby, Nouvelle-Guinée, vendredi, 29 mai 1992

Bienvenue en Papouasie !

Port Moresby est situé sur la baie de Fairfax. L'un de ses secteurs est juché au-dessus de l'eau, sur des pilotis. Les murs des maisons sont en panneaux de *plywood* et les toits, en tôle. Comme celle sur Foucher.

Je travaille à la démolition depuis deux semaines avec l'aide de deux jeunes étudiants. Le 18 mai, j'ai commandé un container et ça n'arrête pas depuis. Nous avons commencé par sortir tous les meubles : les fauteuils, les tables, le poêle, le frigo, etc. J'avais apporté des boîtes de la SAQ pour la nourriture qui pourrissait dans le réfrigérateur et les armoires. Inutile, j'ai tout jeté en bloc. Pas besoin de te dire que les coquerelles grouillaient là-dedans ! Je n'ai gardé que la table de cuisine et quelques chaises de plastique, c'est toujours pratique. La corde de bois et toutes les traîneries de l'entrepôt-appentis ont suivi les meubles dans le container. Même le bain est sorti. J'ai gardé la toilette, pour des raisons évidentes. Mais de m'y asseoir est trop me demander. J'ai aussi conservé les lampes et luminaires pour nous éclairer. Par contre, adieu les rideaux, les matelas, le poêle à bois, les *cossins* !

Puis, on a entrepris la démolition des chambres d'en avant. À ma grande surprise, le papier peint des deux pièces recouvrait des feuilles de *clapboard*, fini bois. Ça s'enlevait bien, par grands morceaux de quatre pieds par sept. Les poutres sont apparues tout de suite. La maison avait été isolée de manière très rudimentaire, avec du papier journal. J'ai trouvé des quotidiens datant de 1934, probablement l'année de construction. Les documents notariés ne spécifiaient pas de date précise.

Les plafonds de *stucco* ont été plus compliqués à démolir. C'est à la *crow bar* qu'on a dû travailler. Beaucoup de poussière et de débris. Ce qui restait quand j'ai fini, c'étaient les poutres qui soutenaient le toit. Je n'ai rien trouvé dans ces deux pièces.

Après, on a attaqué le salon, en commençant par les deux murs donnant sur les anciennes chambres. Toujours aux poutres, toujours rien. La maison commençait à avoir de la gueule : une sorte de loft, comme ils diraient. Mais aucune trace de Michelina. Un des étudiants a trouvé une barrette sous un quart de rond, mais comme Minou avait les cheveux courts, j'en ai rapidement déduit qu'il ne s'agissait pas de la sienne.

Les murs extérieurs que nous avions mis à jour étaient faits de blocs de ciment. Peu d'isolant.

Le salon n'a rien donné non plus : même structure, mêmes revêtements, même plafond de *stucco*. Le jour où on a abattu le mur qui le séparait de la cuisine, on a senti la différence : la lumière traversait la maison, qui annonçait maintenant ce qu'elle aurait pu être.

On a attaqué la cuisine avec beaucoup d'espoir. Faut s'entendre, une découverte aurait été désastreuse, mais elle aurait justifié notre travail.

Dimanche, 31 mai

J'ai dû commander un deuxième container.

Il ne restait de la maison initiale que les murs extérieurs, les poutres de soutien et le plancher de *plywood* recouvert de linoléum. Je le gardais pour la fin. Le tracteur qui allait creuser la cave pourrait passer par l'avant de la maison et, avec des pontons, accéder au sous-sol. Hier, on a commencé à arracher le plancher du salon et on a fait une découverte.

Un des étudiants, Hervé, m'a crié : « *Hey* ! J'ai quelque chose ! ». Paul, mon autre employé, et moi, on s'est précipités. Hervé essayait d'arracher le *plywood*. « Quoi ! Quoi ! » que je criais. « Un trou ! » disait Hervé. « Pis y a quelque chose dedans ! » On s'est mis à trois pour tirer le panneau, qui a cédé avec un grand crac. La seule planche de la maison qui n'était pas pourrie, sans doute parce qu'elle avait été placée là plus tard que les autres.

Dans le trou, on a trouvé une machine à écrire et un masque à gaz !

Je tremblais comme une feuille. Je n'ai jamais été aussi énervé, même quand j'ai affronté Big Bad Bill à Annapolis en 1987.

Je t'écris immédiatement pour t'annoncer la nouvelle.

Demain, on creuse la cave.

Robert

Cette lettre te parviendra par Fedex.

• 63 •

3 juin 1992

Bonjour Robert,

Désolé de ne pas avoir répondu à tes lettres. Ne t'en fais pas, je surveille de très près tes travaux. Quand je dis de très près, c'est de très, très près. J'ai pris l'habitude l'hiver dernier de passer deux fois par semaine devant la maison des Durand-Picard, je le fais désormais quotidiennement. Je constate que la réalité correspond exactement à ce que tu me racontes. Mais comment tu peux te trouver à la fois en Papouasie et rue Foucher à Montréal, voilà qui tient du prodige !

Le 16 mai, je t'ai vu arriver en voiture (il s'agit bien d'une vieille Pontiac jaune orange ?) et pénétrer dans la maison. Ton pas rapide et souple démontrait d'ores et déjà que tu es en assez bonne forme, mon vieux. Ton métier de lutteur ne t'a pas magané autant que tu le laisses entendre. Je t'envie. Cette fois-là, j'ai été fortement tenté de sortir de ma voiture pour aller sonner à la porte et crier « Coucou ! », mais quelque chose m'a retenu. Ma visite ne t'aurait pas fait grand plaisir.

Je vais donc observer une fois par jour, mais brièvement, ton chantier de démolition. Je m'arrange pour passer inaperçu. Tu n'as jamais remarqué au bout de la rue, tout près de la voie ferrée, une Ford Taurus grise 1989 ? En général, son conducteur demeure assis derrière le volant pendant cinq ou dix minutes, puis redémarre et disparaît. Il lui arrive à l'occasion de quitter son poste d'observation et de marcher jusqu'à la rue Sauvé, puis de revenir sur ses pas en regardant du coin de l'œil, sans s'arrêter, la maison que son ami Robert Daigneault est en train de démonter. Il se fait de plus en plus prudent. En fait, maintenant qu'il t'a révélé son petit jeu, ne crains rien, il ne retournera plus t'espionner. Tu pourras continuer de travailler en toute quiétude. Si l'on peut dire, étant donné la nature pour le moins sinistre de ce que tu recherches.

La découverte du masque à gaz et de la machine à écrire nous fait déjà accomplir un pas de géant. Félicitations, mon cher, tu es plus efficace que la police. Cette maison a été passée au peigne fin en 1950 et 51, puis de nouveau en 1975, quand Marcel Picard a été arrêté, sans résultat dans les deux cas. En 75, la preuve contre Picard aurait été beaucoup plus facile à établir si le masque à gaz avait pu être utilisé comme pièce à conviction. Mais c'est la découverte de la machine à écrire qui aura le plus de conséquences. La police pourra en effet vérifier si c'est bel et bien sur elle qu'on a tapé la lettre de Michelina. On trouvera sûrement des empreintes digitales sur les touches et sur la caisse. Nous n'avons plus le choix, il faut prévenir la police. Je vais demander conseil à Normand Dumas.

Je n'irai donc plus fouiner sur la rue Foucher, mais je suis de plus en plus persuadé qu'il est temps d'échanger nos idées sans recourir aux services de Postes Canada. Réfléchis bien à ma proposition avant de la rejeter. N'attends pas, pour accepter de me voir, que je sois étendu dans mon cercueil chez notre ami à tous, Urgel Bourgie.

Je frémis à l'idée des émotions qui vont t'assaillir si tu découvres des restes humains. Mon cœur ne le supporterait pas, j'espère que le tien est solide.

Jean-Luc

• 64 •

Montréal, 3 juin 1992

Rebonjour, The Krusher !

J'écris cette lettre deux heures après la précédente, que je venais à peine de mettre à la poste quand j'ai appris que Marcel Picard a plaidé coupable la semaine dernière à une accusation réduite d'homicide involontaire. Sentence : 12 ans… qu'il purgera concurremment à la peine à perpétuité infligée il y a douze ans. Regrettes-tu comme moi la merveilleuse efficacité de la peine de mort, qui avait l'insigne mérite d'étouffer chez le condamné toute velléité de récidive et toute possibilité d'évasion ? Pourquoi les citoyens canadiens dépressifs devraient-ils jouir d'un traitement de faveur en demeurant les seuls à avoir le droit de mourir au bout d'une corde ? Mais je m'égare…

Peut-être sais-tu déjà que Picard a été interviewé dès le lendemain de sa condamnation. D'après moi, c'est assez irrégulier, mais tant pis. Reçois-tu les journaux montréalais aux Îles Salomon ? Car tu fais escale à Honoria actuellement, si je ne m'abuse ? Je te l'apprends donc : Allô Police consacre à notre cher ami un dossier de deux pages. Il serait plus simple de te les faire parvenir par avion plutôt que d'en paraphraser le contenu, mais puisque tu jouis du don d'ubiquité, tu n'auras qu'à passer chez un marchand de journaux de par chez nous. Permets-moi en attendant de te mettre l'eau à la bouche.

Un journaliste et un photographe sont allés rencontrer Picard au pénitencier. Ils ont eu avec lui un entretien que le journal résume sur deux colonnes bien tassées où l'on retrouve quelques citations de notre très éloquent ennemi d'enfance. Picard a accepté de se faire photographier. Il affiche toujours les mêmes traits puérils qui lui servaient de blanc-seing à l'adolescence. Deux autres photos, de face et de profil, prises en 1965, confirment qu'il n'a pas changé. La charogne exhibe toujours le même faciès de bon garçon.

Allô Police publie aussi le témoignage d'un des frères de Marcel, Adrien, celui avec lequel j'avais échangé des coups pour une histoire de billes. Adrien est l'unique membre de la famille qui ne tient pas mordicus à cacher être le frère, la tante, le beau-frère ou la cousine au troisième degré de Marcel Picard, le tueur psychopathe. Aux dires d'Adrien, les crimes de son aîné ont fait rejaillir sur les Picard des quatre dernières générations une honte qui a incité certains d'entre eux à vivre en reclus sous des noms d'emprunt. N'est-ce pas ce que tu fais toi-même ? Et pourtant, tu ne fais pas partie de la lignée... Adrien, pour sa part, a accepté de parler, mais pas d'être photographié. On le comprend !

On trouve aussi dans ce dossier le témoignage – et la photo prise de dos – de la dernière victime de Picard, celle qui a réussi à s'enfuir. Sans compter le traumatisme subi lors du viol dont elle a été victime il y a 18 ans, la pauvre femme vivait dans un état permanent de crainte et de frustration depuis l'évasion de Picard en 1980. Elle se dit très soulagée par son arrestation et souhaite qu'il passe le restant de sa vie derrière les barreaux.

Allô police publie également les photos et le pedigree des trois femmes violées et assassinées par Picard entre novembre 1974 et avril 1975.

Sais-tu ce que notre tueur de chats aurait dit au journaliste ? Lui qui avait plaidé non coupable en 75 avoue maintenant ses crimes, mais prétend avoir alors été inspiré par Dieu. Et voici comment, avec beaucoup de suite dans les idées, il explique l'« homicide involontaire » commis en prison : son « agresseur » était un envoyé du diable, qu'il aurait dû « éliminer » avant d'être attaqué. « Par mes hésitations, j'ai péché contre l'Esprit », dit-il. Les journalistes lui ont demandé pourquoi il s'était livré à la police, voici ce qu'il a répondu : « Je sais que les exécutions que j'ai dû accomplir sont considérées comme des crimes par la société mauvaise dans laquelle nous vivons, vous et moi. Je vous connais et je reconnais qu'à vos yeux j'ai mal agi. Pourtant, malgré ses errances morales, le juge a compris que, sans partager sa vision du monde, je suis un être lucide et responsable. Il ne m'a donc pas envoyé à l'asile, mais en prison. Je lui en suis reconnaissant, car je ne suis pas un fou, mais un sage. Et je l'ai toujours été, sauf une fois, il y a bien longtemps. Après toutes mes années de liberté consacrées à la réflexion et à la prière, j'ai compris qu'il me fallait expier la faute grave commise à une époque où j'étais encore à moitié sourd et à moitié aveugle. Je me suis donc livré à VOTRE justice et j'accepte ma peine avec résignation, car c'est moi-même qui me l'inflige, pas vous ! »

Il n'a pas voulu en dire davantage sur cette « faute grave » commise autrefois, mais tu vois la piste qui s'ouvre devant nous ? Le délire religieux de Picard me rappelle les extases de Durand, et je vois apparaître en filigrane le nom de Michelina. Je vais appeler le reporter d'Allô Police et solliciter son aide. Peut-être pourrait-il organiser une petite rencontre entre nous et Picard. Quitte à ce que son journal en tire profit.

J'attends impatiemment ta prochaine lettre. Où en es-tu dans tes fouilles archéologiques ? As-tu décidé de ce que tu allais faire du masque à gaz et de la machine à écrire ? Prévenir la police ne peut pas davantage nuire à notre quête de vérité que le concours d'un journaliste. Nous sommes les maîtres du jeu, ils ne sont que de simples faire-valoir.

Jean-Luc

• 65 •

Séoul, Corée du Sud, samedi, 6 juin 1992

J'ai reçu tes deux lettres du 3 juin, hier après-midi, à NDG.

Qu'est-ce que j'irais faire aux Îles Salomon ? Je suis trop occupé à creuser ! Et toi, tu m'espionnes ! Tu me surveilles de ta Taurus ? Jean-Luc, ta santé mentale m'inquiète ! Tu ne m'apprends rien. Je me doutais bien que tu viendrais fouiner par ici. J'aurais fait la même chose. Je me demande pourquoi je te mets au parfum des fouilles si tu sais déjà tout ! Tu as probablement contacté un de mes employés pour lui tirer les vers du nez. Plus rien ne me surprend de ta part.

À propos de Picard, tu t'abreuves à une drôle de source : Allô Police, un journal à potins ! Et tu frayes avec leurs « journalistes » ! Faut le faire !

Les déclarations religieuses de Marcel Picard ne me surprennent pas vraiment. Tu m'as déjà écrit que la famille était très fervente. Durand, lui, a été aumônier dans l'armée, puis aumônier des Louveteaux et des Jeannettes. Il t'a marqué avec ses envolées mystiques, ses rapports avec l'assomption de la Vierge et tout. Il a dû influencer Picard. À la nouvelle de sa reddition, je me suis dit que notre criminel en fuite avait subi une Révélation : il avait dû jaser avec Dieu, rencontrer Roch « Moïse » Thériault, ou Gruau, Graël – celui qui est en contact avec les extra-terrestres –, n'importe qui susceptible de donner du sens à sa vie. Je suis seulement content qu'il n'ait pas opté pour le terrorisme d'une faction extrémiste du Moyen-Orient en se *strappant* de la dynamite autour de la bedaine pour se faire exploser dans un Walmart, un samedi, quand le magasin est plein !

J'aimerais beaucoup le rencontrer. Si l'occasion se présente, je me porte volontaire...

O.K. ! On parle excavation !

Tout d'abord, c'est triste à dire, mais ça n'a rien donné. Inutile de te mener par la laisse et te faire haleter.

Dans ma lettre du 31 mai, je t'annonçais la découverte de la machine à écrire et du masque à gaz. J'ai même dépensé de l'argent pour t'envoyer la lettre par Fedex, pensant avoir le privilège de t'apprendre la bonne nouvelle. Mais tu étais déjà terré dans ton char à renifler les vidanges des voisins...

C'était un samedi. Le lundi, 1er juin, les excavateurs ont démoli le mur avant pour entrer dans la maison. « On aurait pu faire la job à la pelle et utiliser une courroie électrique pour sortir la terre, m'a dit le contremaître, ça aurait coûté moins cher. » J'ai répondu que j'étais pressé. Il s'est mis à travailler. Ils ont patenté une sorte de passerelle leur permettant de descendre au sous-sol. Le Caterpillar s'est inséré dans le trou. Il était quatre heures, leur journée était finie. Bon... Au moins, ils ne pouvaient pas ramener la charrue pour une autre job !

Le lendemain, ils ont commencé à creuser. La pelle de la charrue labourait sans difficulté la terre compactée de la cave. Je les observais d'en haut en espérant une découverte. *Bucket* après *bucket*, ils ont vidé la cave. Ils jetaient la terre près de l'ouverture. Ensuite, des hommes la transportaient vers les camions dans des brouettes. J'examinais soigneusement toutes les brouettées. Tu serais surpris de l'aspect de la maison après cette excavation. Mais, comme un rat, tu avais déjà foré un tunnel jusque-là et tu le sais depuis longtemps.

On n'a rien trouvé. « Il reste le ciment », m'a dit l'opérateur de la charrue. « Il va falloir des marteaux-piqueurs pour le casser. »

Ils ont repris le matin suivant. Le 3. Dès sept heures, les marteaux cognaient. Les voisins ont dû m'haïr, mais *fuck* ! Vers 11 heures, la charrue a recommencé à creuser. Ils ont fini à six heures du soir. Rien.

J'étais découragé. Il ne restait rien de Michelina dans la maison. Aucune trace de son passage ici. Aucune preuve tangible que Durand l'y avait emmenée, séquestrée et tuée. Restait le hangar. Lui aussi sur terre battue.

Le lendemain, ils ont sorti la charrue de la cave et sont passés par la ruelle. « Démolissez le hangar », que j'ai dit. Cet appentis était fait de poutres, de tôle et de vitres recyclées. Lire : de la *scrap* récupérée ! Accrochée derrière, une corde à linge se rendait jusqu'à un poteau au coin de la cour.

Ils ont démantibulé le hangar, retiré les débris. C'est ça qui a pris le plus de temps. Quand il n'est plus resté que de la terre, j'ai demandé aux hommes de la déplacer de droite à gauche, de gauche à droite. J'inspectais la terre remuée. Toujours rien. Il a commencé à pleuvoir. J'ai dit aux hommes d'arrêter. C'était fini.

J'ai bien dû me résigner. On avait échoué. Aucune trace de Michelina dans cette maison. Mais ça, tu devais le savoir, parce que tu étais caché dans un arbre, comme un écureuil, pendant que la pluie se faisait de plus en plus intense.

RD

66

Pyongyang, Corée du Nord, dimanche, 7 juin 1992

Salut Jean-Luc,

Ça, c'est une réception ! Pyongyang nous accueille avec une parade militaire : soldats aux jambes raides, chars d'assaut, fusées, généraux lardés de médailles comme de beaux rôtis de porc bardés de bacon ! Le lendemain, on apprenait que ces processions sont quotidiennes et qu'il ne fallait pas le prendre « personnel ». Mais à ce moment-là, les combats étaient finis, on m'avait offert des tas de fleurs, j'avais seulement hâte de partir. Ça fait drôle quand toute la foule applaudit à l'unisson, au même moment, avec la même intensité ! En cadence !

Bon ! Hier, je te disais qu'on n'avait rien trouvé. Il pleuvait. Tous les ouvriers étaient partis. Je suis revenu avec ma bouteille de scotch. Ma seule passion. Quotidienne. Dans la cour, la terre se transformait en boue. Les amoncellements se désagrégeaient, lentement, comme des châteaux de sable sur la plage.

Bien installé à l'abri, j'ai bu. Du liquide dehors, du liquide dedans. Je me suis endormi.

Ce matin à mon réveil, j'étais appuyé contre le mur de la cuisine. Heureusement, il restait du scotch pour déjeuner. Il ne pleuvait plus, mais l'eau dégouttait à l'intérieur. Un vrai déluge. Le toit devait être sur le point de s'écrouler.

Je suis allé fouiller la cave. De la boue s'était accumulée dans le fond de l'excavation. Je suis sorti dans la cour pour examiner les débris. Les empilades de terre avaient diminué, le sol avait commencé à s'affaisser. J'ai fait le tour du propriétaire, comme on dit. J'étais sur le point de retourner à NDG quand mon œil s'est accroché à un bout de tissu découvert par la pluie.

J'ai tiré dessus. C'était une guenille qui, autrefois, avait été une robe. Fleurie. Je suis allé chercher une pelle, puis en détachant la robe de la boue, j'ai aperçu un autre bout de linge. Un chandail de laine rose, avec des petits chatons qui faisaient la queue.

Je détiens enfin la preuve que Michelina est passée ici après sa disparition.

Mais là, je ne sais plus quoi faire. Est-ce qu'on devrait contacter ton agent du SPCUM ? Appeler la police de quartier ?

Je m'en remets à toi.

RD

• 67 •

Montréal, 16 juin 1992

Cher Robert,

Il faut que tu sois complètement capoté pour t'en remettre à quelqu'un dont la santé mentale te paraît chancelante. Mais plus on est de fous, n'est-ce pas… Sans blague, tu as accompli un travail magnifique ! Tu es mon idole, mon vieux ! Tu ne m'as pas écrit depuis neuf jours, je présume que tu n'as rien découvert de nouveau. Prends-tu le temps de te reposer ? As-tu mis à l'abri le masque à gaz, la machine à écrire, les vêtements de Minou ?

Sa robe et son chandail… J'en frémis. J'en serais tombé raide mort ! Rien que d'y penser me donne des palpitations et des crises de suffocation. Mon cœur est à la veille de lâcher. Dégueulasse ! Si seulement je pouvais crever sans douleur pendant mon sommeil, comme ce veinard de Plamondon. Un infarctus massif qui me tuerait en une demi-seconde, voilà qui ferait bien mon affaire. Je ne veux pas traîner pendant dix ans comme mon père, et faire à répétition dans les derniers mois des œdèmes spectaculaires. Si tu avais vu ça : des dizaines de litres d'eau s'accumulaient dans ses membres inférieurs, dans son abdomen et finalement dans ses poumons. C'était atroce.

Mais revenons à nos moutons. J'ai contacté deux personnes : le journaliste d'Allô Police, Maurice Gratton, l'auteur de l'article sur Picard, et le gendre de Plamondon, Normand Dumas. Je résume.

Gratton est venu il y a trois jours. Ce type-là n'est friand de vérité qu'à la condition qu'elle puisse faire vendre du papier et avancer sa carrière. J'étais méfiant, j'ai posé beaucoup de questions, lui, très peu. Sans doute parce que j'ai été à la fois clair et concis dans mon évocation prudente et censurée de l'affaire Martucci. Je ne lui ai rien dit à propos de tes fouilles et de leurs brillants résultats.

Il m'a assuré que son article rend justice aux propos de Picard, sauf que… sauf que la majorité des déclarations de ce dernier n'étaient pas publiables. Pour qu'un journal comme Allô Police décide de les passer sous silence, il fallait que ce soit terrible. Gratton n'a pas voulu entrer dans les détails, mais il affirme que Picard a décrit ses viols et ses assassinats avec des luxes de raffinement tout à fait répugnants. Il aurait aussi fait allusion à d'autres crimes violents commis impunément pendant ses dix années de cavale. Gratton était tellement écœuré qu'il a communiqué avec un enquêteur du SPCUM. Il ne s'agit malheureusement pas de Normand Dumas. La police est probablement déjà en train d'enquêter sur les crimes dont Picard vient de s'accuser. Peut-être s'agit-il de pure vantardise. Pourquoi pas ! Il est mégalomane au point de se prendre pour un surhomme. Il paraît par ailleurs que les paroles citées dans l'article sont textuelles.

Gratton n'avait jamais entendu parler de l'affaire Martucci. Ce que je lui ai raconté l'a drôlement allumé. Il aimerait bien retourner voir Picard mais il serait très mal reçu. Notre homme n'étant sûrement pas très satisfait de la manière dont Allô Police a rapporté la première entrevue. J'ai fait une offre à Gratton : s'il nous aide à organiser une rencontre avec Picard, son journal aurait l'exclusivité de la nouvelle. En supposant que Picard nous apprenne du nouveau, évidemment.

J'ai ensuite rencontré Normand Dumas. Il a littéralement sauté au plafond quand je lui ai appris que tu avais découvert des pièces à conviction. Il était furieux que nous ayons agi… que TU aies agi de ta propre initiative. Je me suis fait sérieusement sermonner. Dumas a tellement insisté que j'ai été forcé de lui donner ton adresse. Peut-être est-il déjà allé te tirer les oreilles (ou le nez) sur la rue Foucher ou dans NDG, à moins qu'il n'ait transmis l'information à un inspecteur du SPCUM. Quoi qu'il en soit, il faudra confier à la police les objets que tu as déterrés. Désolé, mais le contrôle de la situation est en train de nous échapper. Il faut que tu me pardonnes, je n'avais pas le choix. Quant à l'entrevue avec Picard, Dumas croit que c'est faisable, à condition de laisser les journalistes en dehors de l'affaire. J'ai fait une promesse à Maurice Gratton, je ne pourrai pas la tenir.

Dumas, ou quelqu'un d'autre du SPCUM, se chargerait des aspects techniques de la rencontre en collaboration avec les autorités du pénitencier. Les policiers obtiendraient un mandat, toute l'opération serait donc légale. Un micro serait dissimulé dans tes vêtements et la conversation serait enregistrée. Tu pourrais disposer d'une copie de l'enregistrement à condition de ne pas la diffuser. Reste le problème principal : comment le convaincre de te rencontrer ? Réponse : en tirant parti de son délire de grandeur. Rien de plus facile que de faire parler un mégalo, il suffit de manifester un peu d'intérêt pour ses lubies. Tu pourrais lui mettre l'eau à la bouche en lui faisant parvenir un message dans lequel tu chanterais ses louanges (?), mais de manière assez subtile pour qu'il ne sente pas le piège. Avec un peu de chance, c'est lui qui va demander à te voir. Mauvaise nouvelle : il a été transféré au Pénitencier de Port-Cartier.

Surtout, aborde Picard sans la moindre crainte. Tiens, pourquoi ne lui servirais-tu pas la salade que tu m'as fait avaler pendant plus de deux ans ? Tu étais lutteur ! Tu es lutteur ! Tu seras toujours lutteur ! Tu pourrais aussi prétendre avoir connu Rosaire Durand. Je crois qu'en accrochant Rosaire à ton hameçon, tu attraperas Marcel au bout de ta ligne. Mais ne te fais pas mordre !

J'espère que tu ne m'en voudras pas de t'avoir jeté Normand Dumas dans les pattes. Mais sans sa collaboration, tous nos beaux plans tomberaient à l'eau. J'attends impatiemment de tes nouvelles.

Jean-Luc

• 68 •

Melbourne, Australie, jeudi, 20 août 1992

Salut, Jean-Luc,

C'est la fin de ma tournée d'adieu. La compagnie m'a réservé une surprise, une soirée télédiffusée, dans un spectacle annuel. Dans mon rôle de faire-valoir, je perdrai le combat. J'ai déjà fait la promotion : « Si je perds, je me retire de la lutte ! ».

Comme mon adversaire est Budy Boy Bruiser, un nom apte à gravir les sommets, je me prépare à toute éventualité. Dans un dernier combat, tu ne veux pas être blessé ! Loser un jour, loser toujours ! Mais rien n'interdit un retour après la défaite ! Je verrai. Comme dit Edward Carpentier : « Si Dieu le veut. ».

Comme prévu, un inspecteur s'est présenté chez moi. Il s'appelle Édouard Valiquette, c'est lui qui va reprendre l'enquête abandonnée jadis par Plamondon. Il m'a appris que j'étais devenu un témoin important. Il allait m'interroger et me faire signer une déposition. Je l'ai accompagné au poste de police où, pendant des heures, il m'a posé un tas de questions. Je ne lui ai rien caché. Il est maintenant au courant de tout. Je lui ai remis les objets trouvés sur Foucher, il m'a assuré qu'il les ferait analyser.

Il m'est revenu quelques semaines plus tard avec ses conclusions. La machine à écrire n'avait pas d'empreintes digitales, sauf celles que j'y avais laissées en la sortant de sa cachette. Une analyse des caractères au microscope a cependant permis de prouver qu'elle a bel et bien servi à l'écriture de la lettre attribuée à Michelina. Le masque à gaz contenait des empreintes digitales qui menaient directement à Picard, les autres n'étaient pas identifiables. Les vêtements correspondaient à ceux que Michelina portait lors de sa disparition. Que des preuves matérielles. Rien pour impliquer Picard lui-même. Aucun lien avec Elward ou Durand. « Mais c'était caché chez Durand », que j'ai dit. « Pas assez pour une accusation », m'a-t-il répondu. « Une cause aussi vieille demande des liens plus directs ou, mieux, un aveu de la part d'un des suspects. » « Mais Durand et Elward sont morts », que j'ai répliqué. « Il reste Picard », a-t-il dit pour clore la discussion.

Quelques jours plus tard, j'ai appelé Valiquette pour lui proposer de rencontrer Picard à sa nouvelle résidence de Port-Cartier. Selon moi, je devais confronter le prisonnier avec ma véritable identité. Je jouerais, bien entendu, sur sa religion renouvelée et les objets découverts sur Foucher. Rien ne garantissait le succès, mais j'espérais miser sur mes réflexes de lutteur pour y parvenir.

Valiquette a réfléchi quelques jours avant d'accepter.

« On n'a rien à perdre, m'a-t-il dit. Je peux organiser la rencontre, si tu n'as pas changé d'idée. On va tout enregistrer.

– Pas d'objection. Mais il va falloir le persuader.

– Je vais trouver un moyen. Lui dire que des preuves le liant à un nouveau crime pourraient mener à des charges additionnelles contre lui. Un nouveau procès mènerait à une condamnation qui réduirait ses chances d'être libéré dans vingt ans.

– Vous croyez que ça peut marcher ?

– Même si la menace ne l'impressionne pas, il va sûrement être curieux. Je vais lui dire que son passé vient de le rattraper. Une vieille connaissance a lu le dossier d'Allô Police et croit savoir à quoi il faisait allusion en parlant d'une grave erreur commise dans sa jeunesse. On va demander un mandat et tout enregistrer. »

Je n'avais pas d'objection pourvu que je reçoive une copie de l'enregistrement.

Trois semaines plus tard, la date de la rencontre a été fixée au 16 août. J'ai pris l'avion le 15 avec l'inspecteur Valiquette. Arrivés à 7 heures du soir, on a loué deux chambres au motel Les Lilas. Tel qu'entendu, Valiquette est venu me réveiller à 6 heures et demie le lendemain matin.

L'établissement de Port-Cartier est construit à trois km de la route 138, sur le chemin de l'aéroport. C'est toi, le comptable, qui aurait aimé la place ! Tout est organisé, trié, prévu. Je pensais être dans un trou, en Ontario, mais celui-ci est encore plus creux. Un gars qui s'évade doit affronter la nature ou obtenir l'aide des Indiens. Les deux sont quasi impossibles.

Après le rituel d'entrée : vérification d'identité, fouille, rencontre avec les officiels de la prison, installation d'un micro sous ma chemise, on m'a fait entrer dans une petite pièce d'à peu près dix par dix aux murs de béton. Il y avait deux caméras de surveillance, deux chaises boulonnées au plancher et une table avec un anneau de fer soudé au milieu. Je me suis assis et l'attente a commencé. Au bout de dix minutes, je voulais déjà sacrer mon camp. Penses-y, 20 ans ici, ça doit être l'enfer ! Attendre Picard a été plus pénible qu'endurer un mal de dents.

La porte de métal s'est ouverte, j'ai sauté sur ma chaise. Puis, un garde est entré et a inspecté la pièce. J'ai entendu un bruit de chaînes, et Picard est apparu accompagné d'un deuxième garde. Il avait des chaînes aux poignets et aux chevilles, reliées entre elles par d'autres chaînes tout aussi lourdes. Il s'est arrêté un moment, puis a éclaté de rire.

Les gardes l'ont poussé vers la chaise qui me faisait face et ont cadenassé les chaînes de ses poignets à l'anneau. « Fais pas de marde, Jésus, pis tout va bien aller ! » Ils sont ressortis et ont fermé la porte derrière eux. Picard a penché la tête de côté et m'a dévisagé. Il voulait manifestement m'intimider.

Il n'avait pas beaucoup changé depuis la rue Saint-Gérard. Il devait maintenant faire six pieds et avait une allure moins balourde. Son gras d'enfant était devenu du muscle. Des années en prison et la fréquentation assidue d'un gym à faire des poids et haltères produisent des miracles. Même grosseur, mais un corps de *bodybuilder*. Et tatoué ! Son T-shirt avait des manches très courtes qui laissaient voir des tatouages sur ses deux biceps. Sur un bras, quatre visages de jeunes filles – celles qu'il avait violées ? –, sur l'autre, dans un cœur, un visage d'enfant et un petit chaton. J'ai failli lui sauter dessus, mais il aurait facilement eu raison de moi. Je me suis mis à transpirer, étouffé par la présence de Michelina sur son corps. Je devinais un autre tatouage sous le col de son chandail, une tête de serpent qui suivait le trajet de la carotide. Des lettres étaient tatouées sur ses doigts. Lorsqu'il serrait les poings, on lisait sur l'une : J-É-S-U-S, et sur l'autre : M-'A-I-M-E.

Comme dans sa jeunesse, il avait ce visage de bébé qui nous faisait douter de sa méchanceté. Je m'étais attendu à le retrouver avec des yeux caverneux et un *pinch* diabolique. Des cornes, peut-être, mais jamais avec ce visage innocent. S'il avait porté une cravate et une chemise à manches longues, on l'aurait pris pour un cinquantenaire en forme, un de ces cruiseurs de bars ou un prof d'éducation physique. Un cadre de compagnie publicitaire, peut-être. Pas un tueur !

Je ne savais pas trop comment commencer tellement ma surprise était grande.

Il m'a dit d'une voix ferme : « T'es qui *toé* ? ».

Intimidé, je l'ai toutefois regardé dans les yeux. Mon ennemi d'enfance, l'artisan de mon humiliation.

« Tu te souviens pas de moi ?

– J'ai rencontré ben du monde dans ma vie. Un de plus, un de moins... Aide-moé un peu !

– La rue Saint-Gérard !

– C'est là que j'ai été élevé, pis ?

– Une ruelle de Notre-Dame-de-Grâce !

– Pis ? »

Il a hésité un instant et penché la tête vers ses mains jointes.

« Le p'tit Robert ! *Quessé* que tu fais ici ? C'est toi qui porte des accusations contre moi ou bien est-ce que tu cherches Dieu ? »

La peur m'a saisi. Qu'est-ce que je faisais ici ? En présence du démon qui, avec Elward, avait marqué ma vie ! J'aurais tellement préféré être chez moi à Montréal, à t'écrire une lettre, à extrapoler sur le sort de Michelina ! Incapable de bouger, impliqué jusqu'au cou, j'ai répondu :

« Non, je cherche la vérité !

– C'est mon domaine, la vérité ! J'ai rencontré Dieu ! Tu es venu au bon endroit.

– Tu l'as trouvé dans un Walmart ?

– Qu'est-ce que tu en sais, petit niaiseux ?

– Sur la rue Foucher, peut-être ?

– Qu'est-ce que tu vas chercher là ! a-t-il répliqué sur un ton plus agressif.

– Ou peut-être chez Charles Elward, le capoté au masque à gaz !

– Parle pas de c'que tu sais pas.

– J'en sais plus que tu penses !

– Tu sais rien, trou d'cul !

– Je vous ai vus, toi et Elward, terroriser Michelina dans la cuisine du fêlé. Vous n'étiez pas assez sains d'esprit pour avoir organisé ça.

– C'est qui ça, Michelina ?

– Celle qui est tatouée sur ton bras droit !

– …

– Belle réplique ! Ça me prouve ce que je dis. Tu avais quinze ans et tu ne pouvais pas trouver ton cul en te servant de tes deux mains.

– Toi, mon p'tit tabarnak ! Tu étais un bébé à cette époque-là, qu'est-ce que tu en sais ?

– J'étais peut-être jeune, mais, depuis, j'ai beaucoup réfléchi. J'ai rapiécé le casse-tête et je sais qu'il y avait quelqu'un d'autre qui tirait les ficelles.

– Tu dis n'importe quoi. Si t'as rien d'autre à dire, je vais retourner dans ma cellule. Prier Dieu, lui demander de te pardonner pour tes fausses accusations. »

J'ai attendu un moment en le regardant droit dans les yeux. Je n'avais plus dix ans, je n'étais plus intimidé. J'étais en liberté, lui, il était incarcéré. Il tirait sur ses chaînes pour les briser et me sauter dessus. Il était rouge de colère. J'ai tout simplement ajouté :

« Durand, Rosaire Durand ! »

Il est devenu blanc.

« C'est qui ça ?

– Tu ne te souviens pas de lui ? Le paumé qui demeurait près des voies ferrées, sur Foucher ?

– Mêle-le pas à ça.

– Ah ! Non ? Pourtant, il était au centre de toute l'affaire.

– Comment tu peux l'accuser ?

– Elward était dans l'armée, en Angleterre. Durand était aumônier à la même base. Elward a été converti aux élucubrations de Durand. Après la guerre, Elward est allé rejoindre sa mère sur Lajeunesse. Au même moment Durand est devenu aumônier des Louveteaux dans le quartier

Villeray. (J'en mettais un peu, mais je ne crois pas être passé à côté de la vérité.) Toi, tu étais le chien de poche d'Elward, tu le suivais partout ! Il te menait par le bout du nez !

– C'est moi qui menais Elward, pas le contraire ! Il était tellement facile à manipuler. Puis Durand ne m'impressionnait pas.

– Tu admets l'avoir connu. »

Picard s'est tu. Il venait d'avouer un gros morceau. Il s'est rassis sur sa chaise de métal.

« Comment tu l'as rencontré, Durand ? »

Picard était désemparé. Son assurance de petit voyou venait de tomber.

« Chez Elward. Monsieur Durand était tellement charismatique, sa foi était impressionnante.

– C'est là que t'as trouvé Dieu ?

– Pas tout de suite. Ça, c'est venu plus tard.

– Il est devenu ton gourou ?

– D'une certaine façon.

– J'ai acheté ta maison. Celle qu'il t'a léguée à sa mort. Je l'ai démolie au complet. J'ai découvert des choses dissimulées sous le plancher du salon.

– Quoi ?

– Un dactylo et le merveilleux masque à gaz d'Elward, celui qu'il portait pour faire peur aux enfants du quartier. Celui qu'il portait quand vous m'avez agressé dans NDG.

– Tu peux pas le prouver !

– Pas cet épisode-là, mais je me souviens de tes mains sales sur moi, je me souviens de ce que tu disais à ce moment-là. Comment tu forçais

Elward à mettre son sexe dans ma bouche, comment tu me forçais à le prendre tout entier pour le sucer !

– Tu peux pas le prouver, qu'il répéta sur un ton moins assuré.

– J'ai pas besoin de le prouver. Il y a bien d'autres preuves contre toi.

– Comme quoi ?

– Comme les vêtements de Michelina Martucci. J'ai trouvé son linge dans ton ancienne maison.

– Son linge ?

– Oui, sa robe et son chandail !

– Va donc chier !

– Attention, tu es censé être un homme de Dieu !

– Je n'ai jamais fait de mal à une petite fille. Les putes que j'ai sauvées, en les menant à un monde meilleur, le méritaient, elles avaient souillé l'image de la Vierge Marie. Mais la petite, j'ai tout fait pour la protéger !

– Ah oui ? Qu'est-ce que tu as fait, mon cher Marcel ?

– Ne m'appelle pas Marcel, je suis Ismaël de Durand, alias Picard. »

Il venait de casser. Sa résistance avait été poussée à bout.

« Ismaël de Durand ?

– Oui, mon maître en a ainsi décidé ! »

J'ai hésité un instant avant de poursuivre. Je n'étais plus devant le même homme. Il venait de disjoncter.

« O.K. !, Ismaël. Revenons-en à Michelina. Tu te souviens d'avoir couru après moi le soir où elle est disparue ?

– Disparue ? J'en sais rien. Je me rappelle que tu te cachais comme un bandit sur le balcon d'Elward et que je t'ai cherché partout. Où étais-tu ? Question de me mettre au courant...

– En dessous du balcon de ma tante sur Guizot. »

Picard est revenu sur terre.

« Ah ! Mon tabarnak ! Tu t'es caché comme un *chicken coward* ! C'est de ta faute s'il y a eu des problèmes !

– De ma faute ?

– Personne ne voulait faire de mal à la petite. Durand m'avait demandé de l'inviter pour qu'Elward s'excuse de tous les troubles qu'il lui causait. Rosaire ne pouvait accepter qu'un écervelé ennuie celle qu'il voyait comme une enfant de la Vierge Marie. Rosaire attendait dans le musée, je me tenais dans la cuisine. Elward a commencé par s'excuser, mais sa nature a repris le dessus. Il s'est mis à l'engueuler. C'est à ce moment-là que je t'ai entendu. Maudit Elward ! Un Christ d'impotent, il lui fallait des enfants frétillants pour qu'il jouisse. C'était la seule façon de le contrôler. C'était une bombe à retardement. Tu t'en rappelles, dans la ruelle de NDG, comme il tremblait ?

– Il n'a pas été capable de bander !

– C'est certain, tu lui faisais trop peur. Il savait que si tu parlais du corps trouvé dans le bois Saint-Hubert et que tu faisais le lien avec ce qui s'était passé chez lui, il serait cuit. Il a tellement braillé à Durand que Rosaire a pensé à une ruse pour te faire peur. Elward était content, il pensait que ce serait assez. Câlisse de couillon !

– Mais pourquoi vous êtes venus me trouver ?

– Tu devrais le savoir, calvaire ! Il n'y avait qu'une personne qui nous avait vus avec Michelina. J'avais peur d'être impliqué là-dedans. Rosy m'a obligé de retourner à l'École de réforme. Je ne voulais pas, mais il m'a dit qu'en dedans, je ne pourrais être accusé de rien. Quand je suis sorti, six mois plus tard, la police venait de retrouver un torse dans le bois Saint-Hubert. Il ne voulait pas que les flics commencent une nouvelle enquête et fouillent aux alentours de chez lui. Il m'a demandé de te faire peur pour que tu ne parles de rien. Il m'a dit « Emmène Elward, lui, il sera trop épais pour protester. Tu pourras toujours dire qu'il t'a influencé. C'est rien qu'un Anglais, y sert à rien !

– La petite fille retrouvée dans le bois avait été violée. Qui a fait ça à Minou ?

– Violée ?

– Oui, l'hymen était rompu.

– C'est pas moi en tout cas. Puis Elward était pas capable. Rosaire, lui, la vénérait comme la Sainte Vierge. Quand je suis revenu chez Elward, j'ai surpris Michelina dans l'escalier. Elle a eu peur, elle a crié. On est retournés chez Elward et Rosaire l'a calmée. Il nous a emmenés chez lui en auto, en laissant Elward avec sa vieille mère. Rosy voulait lui offrir à la petite des bonbons, un Coke, des chips, pour l'amadouer.»

Il a hésité un moment, a joint les mains, a regardé vers le plafond et est redevenu Ismaël.

« Je m'excuse de l'avoir appelé Rosy. Je me suis échappé. Un blasphème ! C'est mon Maître ! Rosaire Durand, l'Intermédiaire de la Vierge ! Celui qui m'a appris à vivre. Pardonne-moi, Rosaire, le directeur de mes prières ! »

Je me sentais de plus en plus désemparé. Je repensais à la terreur qu'il m'avait fait vivre et n'avais que le goût de partir. Pourtant, je sentais que Picard allait me révéler quelque chose d'important. J'ai décidé de poursuivre. Après tout, j'étais lutteur, je pouvais le braver !

« Je ne suis pas le ti-cul que tu terrorisais. J'en ai vu des plus gros que toi ! Y a rien que j'aimerais mieux que de te crisser une volée. En mon nom et en celui de Jean-Luc Dupré, que tu as malmené aussi !

– Dupré ? Celui qui restait à côté de chez nous ? Le petit niaiseux à lunettes ? Le matheux ? Celui qui se cachait toujours derrière son père et qui avait peur de son ombre ? Fais-moi rire ! Pas de problème là !

– Eh ben ! Le « petit niaiseux à lunettes » et moi, on a rapiécé ce qui était arrivé en 1950. L'épais et moi, on a découvert ton jeu, celui d'Elward et du salaud de Durand, l'aumônier des Louveteaux, celui qui ne savait pas faire des nœuds, le projectionniste qui tripotait les petites innocentes pendant les représentations. »

Picard s'est levé d'un bond, tendu au bout de ses chaînes. Ses yeux étaient rouges, pleins de rage. Il en bavait.

« Tu peux pas traiter Maître Durand de salaud ! C'est un dieu, cet homme-là. C'est lui qui m'a élevé, c'est lui qui m'a sorti de la bouse de la rue Saint-Gérard, c'est lui qui m'a montré le droit chemin !

– C'est aussi lui qui a torturé et tué Michelina ! »

Picard est devenu blanc. Son regard m'a paralysé par sa malice profonde.

« Ça, tu le sais pas ! Personne le sait, même pas moi. Durand est venu me chercher à l'École de réforme dans l'après-midi. Il m'a assuré que mon absence allait passer inaperçue. Il m'a fait appeler Michelina pour que je l'emmène chez Elward.

– J'te crois pas !

– Le niaiseux à Dupré m'a empêché d'agir aussi vite que prévu. Finalement, j'ai pu voir Michelina et accomplir ma mission. Après ça, t'es apparu sur la galerie. J'ai pas réussi à t'attraper… Un peu plus tard, on est partis avec Michelina, on l'a emmenée chez Durand. Ça pas été difficile, elle me faisait confiance.

– J'te crois pas !

– Une heure plus tard, il m'a ordonné de retourner au centre de Réforme. Je n'ai jamais su comment ça s'était fini. La petite a dû retourner chez elle, quelqu'un d'autre a pu la voir, l'attraper et lui faire du mal. Le Grand Rosaire n'aurait jamais fait de mal à une pauvre fleur comme Michelina. Je l'aimais Michelina. Même si l'épisode du chat nous avait séparés. Ça été la pire décision de ma vie. Un petit minou insignifiant, et la fille que j'aimais le plus ne voulait plus me voir ! Je n'ai même pas réussi à lui dire ! Dieu que je m'en suis voulu. La pire erreur de ma vie. Un chaton contre un amour ! J'en ai assez. C'est fini, va-t'en. Je ne veux plus rien dire. Je veux mon avocat ! *Décrisse* !

– Voyons donc, tu ne vas pas me faire croire que tuer le chat a été le pire moment de ta vie et que tu te serais livré à cause de ça quarante ans plus tard !

– J'en ai assez dit !

– Tu es allé chez Durand avec la petite Michelina. Pis là, vous l'avez violée, torturée et tuée. C'est toi le responsable !

– Tu sais pas de quoi tu parles !

– Avoue, tu te sentiras mieux. Au moins, tu feras face à tes démons ! »

Picard s'est tu. Il a penché la tête vers ses mains. Ses épaules tremblotaient un peu. Puis, à ma grande surprise, il a repris la parole.

« Durand tenait sa bible dans la main droite et me pointait du doigt. Il m'a ordonné de la déshabiller. Je ne voulais pas. Il a insisté, parce que lui, il ne pouvait pas. Il tremblait comme une feuille. Moi, je refusais. Je l'aimais trop, la petite. Il criait : « Fourre-la ! Fourre-la, au nom de Dieu ! C'est moi, son Messager qui l'ordonne ! Fais ce que je te dis, sinon tu seras damné ! ». Je ne voulais pas. Mais l'idée d'encourir la colère de mon Maître me chavirait. J'étais tiraillé entre mon amour pour Michelina et ma vénération pour Durand, qui voulait se servir de moi pour emmener Michelina vers le Seigneur.

– Je pensais que c'était Elward qui lui avait fait le plus de mal.

– Elward était une mitaine. C'était rien Elward, c'était le bedeau, Elward ! Il haïssait les Italiens, le maudit fou.

– Qu'est-ce qui est arrivé chez Durand ? Vraiment ?

– J'ai désobéi à mon Maître. C'est ça, ma plus grande faute. J'ai désobéi à Rosaire ! Je ne savais plus quoi faire. Il m'a chassé. Il m'a renvoyé à l'École de réforme. Je n'ai jamais su ce qui est arrivé à la petite.

– Mais quand un corps a été retrouvé dans le bois Saint-Hubert, tu es venu avec Elward pour m'intimider !

– Quand j'ai quitté le Mont Saint-Antoine quelques mois plus tard, je suis allé voir mon Maître. Il a dit qu'il allait me pardonner ma faute si je lui rendais un dernier service et que je disparaissais par la suite. « Sois patient. Fais ce que je te demande et, quand tout sera oublié, je te ferai signe, et tu pourras revenir à Moi. » C'est pour ça que je suis allé te faire peur avec Elward. Après, je suis parti aux États-Unis. Je ne l'ai plus jamais revu, il ne m'a pas rappelé. Dix-huit ans plus tard, j'ai appris qu'il était mort et m'avait laissé sa maison. Je sortais de prison, alors je me suis installé sur Foucher. J'veux plus parler. Garde ! Garde ! C'est fini. Je veux mon avocat !

– Qu'est-ce qui est arrivé à Michelina ?

– Je l'sais pas ! Va-t'en ! Garde ! Garde !»

Il s'est retourné, et d'une voix à peine perceptible a ajouté : « Je l'aimais. Je l'aimais... ».

Je suis revenu à Montréal le lendemain. Voilà, tu en sais autant que moi.

Il faut qu'on se voie.

Robert Daigneault.

• 69 •

Montréal, 24 août 1992

Cher monsieur Daigneault,

Mon père est décédé le 17 août. Il avait subi un gros infarctus le 12, mais il est quand même resté lucide presque jusqu'à la fin. Il m'a beaucoup parlé des lettres que vous échangez depuis deux ans. Il m'a demandé de les lire, car elles me permettraient de mieux le connaître. J'ai commencé la veille de son décès. Ça m'a fait beaucoup de peine. Surtout les premières. J'aurais voulu le convaincre qu'il se trompait : je ne le regardais pas de travers après Polytechnique, je n'ai rien à lui reprocher, il a toujours été un bon père. Je suis arrivée trop tard à l'hôpital le lendemain matin. Mon oncle Raymond était déjà à son chevet. Il m'a dit que le dernier mot que mon père a prononcé avant de mourir, c'était « minou ». Mon oncle était bien surpris, mais pas moi. Ça m'a aidé à comprendre combien vos lettres avaient de l'importance.

J'ai quand même failli tout jeter le lendemain des funérailles. Surtout après avoir trouvé dans son ordinateur ce qu'il avait commencé à vous écrire. Il se sentait trahi, et ça m'a fâché autant que lui. Alors, votre dernière lettre est arrivée. J'ai lu et relu le récit de votre rencontre avec Marcel Picard. Mon père se trompait, vous êtes un ami fidèle. Malheureusement pour lui et pour vous, votre dernier souhait ne pourra pas se réaliser.

J'ai bien réfléchi avant de décider que la meilleure chose à faire, c'est de vous remettre toutes les lettres, y compris celles que vous lui avez envoyées autrefois. Le projet de mon père était de raconter l'histoire de Michelina dans un roman. J'espère que vous trouverez le moyen de réaliser son rêve.

Je tiens aussi à vous dire que votre fille Micheline et moi sommes très amies. Je sais qu'elle aimerait vous voir plus souvent.

Bien à vous,

Nathalie Dupré

P.-S. – Vous trouverez, ci-joint, la lettre que mon père n'a pas eu le temps de terminer.

• 70 •

Mercredi, 12 août 1992

Bonjour Robert,

Un inspecteur du nom d'Édouard Valiquette vient de me téléphoner. Il m'apprend que tu vas rencontrer Marcel Picard à Port-Cartier le 16. C'est une bonne nouvelle ! Je sais maintenant que tu n'as pas été découpé en morceaux par un gros mongol dans une arène d'Oulan-Bator ! Valiquette veut également m'interroger. Nous avons rendez-vous demain midi.

Mais qu'est-ce qui t'arrive ? Tu ne m'as donné aucun signe de vie depuis deux mois ! Je suis passé quelques fois sur la rue Foucher. Tout a disparu, et toi aussi. Il ne reste plus qu'un gros trou et un tas de gravats derrière une clôture. J'ai l'impression que tu ne t'es pas fait beaucoup d'amis dans le voisinage et que tu vas en perdre un autre si tu ne romps pas bientôt le silence ! As-tu décidé de faire cavalier seul ? Ce serait trop injuste ! L'été est déjà assez pourri, pourquoi me rends-tu la vie encore plus difficile ?

Tu me laisses tomber, mais je ne me vengerai pas. Car je n'ai pas de secrets pour toi. Aussi vais-je te mettre au courant de mes plus récentes trouvailles.

Sache d'abord que j'ai assisté à la messe dimanche dernier à Saint-Alphonse. Il ne pouvait exister pour moi de meilleur endroit pour renouer avec les bondieuseries catholiques et les odeurs d'encens qui imprègnent ma mémoire. C'est dans cette église que mes parents se sont mariés et qu'ils ont fait baptiser leurs trois rejetons. Saint-Alphonse a marqué mon enfance. J'y ai confessé mes premiers péchés, j'y ai fait ma première communion. J'ai eu l'honneur d'y être souffleté par Mgr Charbonneau à quelques pas du maître autel le jour de ma confirmation. Ma sœur s'est mariée à Saint-Alphonse. C'est à Saint-Alphonse que fut chanté le Requiem de mon père. C'est dans un confessionnal de Saint-Alphonse que ma crainte de l'enfer a atteint son paroxysme, et c'est au même endroit que j'ai perdu la foi.

Ne va pourtant pas croire que je suis entré dans cette église avec l'intention de demander pardon à Dieu pour mes péchés. Pas du tout. J'ai été entraîné là par hasard, au terme d'une promenade qui m'avait mené de mon petit appartement de la rue Crémazie jusqu'à la rue Guizot d'abord, en descendant Lajeunesse, puis, tu l'auras deviné, dans la ruelle de notre enfance, où je ne remettais les pieds que pour la deuxième fois. Il y a deux ans, tu t'en souviens peut-être si tu me lis avec attention, il ne s'était rien passé. J'ai été moins chanceux cette fois-ci. Avoir su… Mais j'étais tellement tanné de regarder passer les autos et les camions sur le Métropolitain ! Un tapage infernal !

Notre ruelle… Je mentirais en disant ne pas y avoir pas vu un chat. Car si, effectivement, je ne croisai sur mon chemin ni adulte ni enfant – les enfants d'aujourd'hui ne jouent pas dans la ruelle –, en revanche, justement, je tombai sur… un chat ! Une espèce de bâtard tigré qui, pris de frayeur à mon apparition, eut un cri de gorge à réveiller les morts, puis sauta, je te le donne en mille, par-dessus la clôture qui sépare la ruelle de la cour des Picard ! Crois-le ou non, j'ai senti une odeur de brûlé… Me heurter au Masque à gaz ou être talonné par notre ami Marcel m'aurait moins bouleversé que l'apparition de ce maudit fantôme de chat. Complètement paniqué, je me suis enfargé dans une poubelle. Les quatre fers en l'air, mon vieux ! Le cœur serré, je suis sorti de cette géhenne en boitant jusqu'à la rue Saint-Gérard, que j'ai remontée en soufflant comme un bœuf jusqu'à l'église. Très mauvais pour ma santé, ce genre de pèlerinage. Mais je ne t'apprends rien, car tout au long de mon chemin de croix, vous m'accompagniez, toi et Michelina, complices de ma débandade. Non, il ne fait pas toujours bon remonter le temps et réveiller le passé. On appelait ça l'époque de la grande noirceur. Je dirais plutôt celle de la grande horreur !

J'ai attendu que ma patate se calme un peu, puis j'ai longé à petits pas la salle Sainte-Anne, puis la masse grise écrasante de l'église elle-même, pour me retrouver finalement devant l'entrée principale, au pied de l'escalier qui mène au portail. C'est alors que se produisit un événement inattendu, j'allais dire miraculeux.

Une femme dans la soixantaine, en tailleur gris et portant de petites lunettes, est passée devant moi. Se retournant, elle me jeta un bref coup d'œil étonné. C'est que je ne payais pas de mine. Avec mon pantalon déchiré, ma veste poussiéreuse, ma barbe de cinq jours et mes cheveux en broussailles, j'avais l'air d'un vrai *hobo* ! Et je dégageais sûrement une odeur désagréable. Plutôt que d'avoir l'air dégoûté, elle eut un sourire engageant, puis emprunta l'escalier d'un pas sautillant, ouvrit l'une des grandes portes, disparut dans l'église.

Cette brève rencontre n'aurait eu aucune suite si je n'avais remarqué que la joue droite de cette femme était couverte, du coin de l'œil jusqu'à l'aile du nez et jusqu'au menton, d'une grande tache de vin. Voilà qui te rappelle peut-être quelque chose, mon cher Robert. J'examinai l'escalier : neuf marches, un palier, quatre marches. L'obstacle n'était pas insurmontable. Je le franchis à pas mesurés afin de ménager mon cœur. Au-dessus du portail, surgissant du tympan, saint Alphonse de Liguori, assis, les pieds posés sur un globe terrestre, sembla incliner la tête pour m'accueillir. Le temps de reprendre mon souffle, j'examinai avec curiosité les trois petits personnages qui soutiennent cette terre symbolique dominée par le saint fondateur des Rédemptoristes. Ils m'amusaient déjà quand j'avais dix ans, ils ont conservé tout leur charme : un Blanc au centre, à gauche un Amérindien, à droite un Noir. Tous ont la couleur de la pierre, mais leur faciès ne laisse aucun doute sur leurs origines. J'ouvris la porte et entrai.

On n'a plus les messes qu'on avait. Dans ma jeunesse, l'église débordait de fidèles, le prêtre montait en chaire pour haranguer la foule, l'orgue ne jouait pas que des bluettes insignifiantes. Les temps ont bien changé. J'enfilai discrètement l'allée de droite en essayant de ne pas me faire remarquer. Le prêtre qui officiait me vit peut-être, mais ne laissa rien paraître. Je m'assis sur un banc du bas-côté tout près d'une colonne, et tentai de repérer parmi la cinquantaine de fidèles, la plupart fort âgés, réunis dans les premiers bancs du vaisseau central, la femme à la tache de vin, qui, je me l'étais rappelé soudain en franchissant le seuil, avait enseigné autrefois à l'école Saint-Alphonse. Il fallait que je lui parle.

De la cérémonie elle-même, il n'y a presque rien à dire. Tu te souviens des messes en latin ? Comparées à ça, les messes conviviales et triviales d'aujourd'hui ne sont que de simples conciliabules amplifiés en écho par l'immense caisse de résonance d'une église déserte. Un flux et un reflux de vagues paresseuses sur la coque d'un paquebot désarmé échoué sur des bas-fonds. Où se réfugient de temps à autre de vieux matelots à la retraite, nostalgiques des grandes croisières d'autrefois.

Je finis par repérer la petite sœur quand, la messe terminée, les fidèles, petit à petit, commencèrent à se lever. Elle était assise du côté opposé et fut l'une des premières à se diriger vers la sortie. Je la rejoignis à l'extérieur au pied de l'escalier.

« Ma sœur ? »

Elle se retourna et me fixa droit dans les yeux.

« Je ne suis plus religieuse depuis très longtemps, monsieur... Nous nous connaissons ?

– Vous avez enseigné à l'école Saint-Alphonse, je crois ?

– Il y a bien des années, dit-elle en souriant, mais je suis facile à reconnaître... » Elle pointa du doigt son spectaculaire angiome.

« Avez-vous besoin d'aide ? demanda-t-elle ensuite en fronçant les sourcils, vous avez eu un accident ? Votre main saigne…

– Je suis tombé dans la ruelle, mais rien de grave… Vous souvenez-vous d'une petite fille qui s'appelait Michelina Martucci ? »

Elle hocha la tête à plusieurs reprises, comme si ma question n'avait rien eu d'étonnant.

« Oui, oui… La petite Martucci… Vous la connaissiez aussi ?

– C'était une amie, elle vivait tout près de chez moi. Je m'appelle Jean-Luc Dupré…

– Et moi, Lucienne Martin… Anciennement, sœur Marie-Isidore, ajouta-t-elle d'un air malicieux.

– Vous vous souvenez de ce qui lui est arrivé…

– Elle était dans ma classe en cinquième. Une excellente élève. Quel drame horrible ! »

Elle adressa un salut à deux vieilles dames qui semblaient attendre mon départ. Je m'éclaircis la gorge : « La police va peut-être rouvrir l'enquête.

– Après tant d'années ? » lança-t-elle en suivant du regard un vieux monsieur qui descendait l'escalier en s'appuyant sur une canne. Elle posa la main sur mon bras : « Voudriez-vous m'attendre quelque instants ? Je dois dire quelques mots à ces deux dames. Surtout, ne partez pas ! ».

Épuisé, je m'appuyai à la rampe. Elle revint bientôt.

« Ne restons pas ici, dit-elle. Je fais toujours une promenade après la messe. Nous pourrions marcher, qu'en pensez-vous ?

– Si vous voulez, mais… allons dans cette direction, il faut que je rentre chez moi, je ne me sens pas très bien.

– Prenez mon bras, si vous voulez.

– Ça ira, merci… »

O.K. ! Robert, je t'entends chialer : « C'est assez, ça suffit ! ». Maudit lutteur ! Cesse de te moquer du ton trop romanesque de ma narration : verbes au passé simple, dialogues farcis de commentaires verbeux, métaphores tirées par les cheveux…

Pardonne-moi, mais j'en avais trop envie. Depuis le début de l'été, si on peut parler d'été, je consacre presque tout mon temps à la lecture, les auteurs que j'ai lus m'ont contaminé. Je ne recommencerai plus, je le jure, Pinocchio !

Que m'a donc appris Lucienne pendant les quelques minutes qu'il nous a fallu pour aller à pied de l'église jusque chez moi ? Allez, monsieur le comptable, au rapport ! Soyez factuel.

1 - Au printemps 1950, en juin, à la fin de l'année scolaire, c'est-à-dire quelques mois avant sa disparition, un « grand garçon » venait à l'occasion chercher Michelina à la fin des classes. Il l'attendait sur le trottoir. Ils partaient ensemble. Lucienne s'en est aperçue et s'en serait aussi inquiétée. Interrogée à ce sujet, Michelina lui aurait dit que le garçon en question était un ami qui l'accompagnait à la maison, et je cite, « pour la protéger ».

Tu auras compris que ces souvenirs sont revenus à la mémoire de Lucienne APRÈS que je le lui aie expliqué le rôle que Marcel Picard a joué dans la disparition de Michelina. Je n'exagère pas en disant qu'elle est alors tombée des nues. Elle croit, mais n'en est pas certaine, avoir fait part de cette « amitié » de Michelina avec un « grand garçon » au policier venu l'interroger en septembre 1950. D'après la description qu'elle m'a faite, il s'agissait d'Albert Plamondon. Ce que ce dernier a fait de ces informations, s'il en disposait vraiment, il faudrait lire les rapports d'enquête pour le savoir. Quant au « grand garçon » lui-même, de qui peut-il s'agir, sinon de Marcel Picard ? Ma lettre te parviendra sans doute trop tard pour que tu puisses l'interroger à ce sujet quand tu vas le rencontrer à Port-Cartier.

2 - N'ayant, pas plus que je n'en ai à ton égard, aucun secret pour Lucienne, je lui ai aussi parlé de Rosaire Durand, dont elle se souvient fort bien, quoique de manière indirecte. Il faut que tu saches d'abord que sœur Marie-Isidore a quitté sa communauté en 1969 pour se marier (civilement) avec un père rédemptoriste défroqué aussi quelques années auparavant. Leur amour avait d'ailleurs débuté, mais de manière illégitime, dès le début des années 60. Prions le Seigneur… À la fin des années 40, le futur ex-prêtre, alors encore jeune, avait plusieurs fois entendu en confession Rosaire Durand, aumônier des Louveteaux et des Jeannettes, projectionniste à la salle Sainte-Anne, homme à tout faire au service des Rédemptoristes de la paroisse Saint-Alphonse, autrefois aumônier dans l'armée canadienne, mystérieux personnage ayant été chassé de la prêtrise à une date indéterminée et pour des raisons que Lucienne n'a pas voulu m'expliquer. Le mari de Lucienne lui aurait dit un jour en confidence, trahissant ainsi, mais de manière plutôt bénigne, le secret de la confession, que Rosaire Durand était hermaphrodite ! Ce qui ne veut pas nécessairement dire qu'il était impuissant ou stérile, car il existe plusieurs formes d'hermaphrodisme. Le mari de Lucienne est mort il y a plusieurs années, il a emporté dans la tombe des secrets dont sa veuve elle-même n'a jamais eu vent.

Voilà, tu sais tout. Ou plutôt, tout comme moi, tu ne sais pas grand-chose. Ma rencontre avec Lucienne m'a fait comprendre à quel point notre enquête demeure partielle et insuffisante. Réalises-tu la tâche immense qu'il faudrait encore accomplir pour tracer un portrait, sinon exact, du moins fidèle, de la réalité ? Que restera-t-il de notre entreprise, sinon une simple pile de lettres qui ne pourront jamais être davantage que les matériaux de base, présentés en vrac, d'un roman que nous ne pourrons jamais achever ? Je me trompe peut-être… Veuille me pardonner ce bref moment de découragement.

Autre petite nouvelle : j'ai eu confirmation, grâce au mari de ma sœur, que la mère de Elward est morte en 1959 à Sudbury, mais a été enterrée au cimetière de Saint-Vincent-de-Paul, près du pénitencier où notre ami Picard a séjourné récemment. Comme le monde est petit ! Ainsi que je le supposais, Elward est au cimetière militaire d'Ottawa. Tu n'as plus…

1998

Lettre de Maurice Gratton

Montréal, 24 septembre 1998

Monsieur Robert Daigneault
C.P. 533
Succursale Fleury
1221, rue Fleury, Montréal

Monsieur,

J'ai parcouru attentivement les documents que vous m'avez fait parvenir. Ne pouvant vous être d'aucun secours, je vous renvoie le tout sous pli recommandé. Permettez que je m'explique.

Je me souviens très bien de votre ami Jean-Luc Dupré, qui m'a reçu chez lui il y a six ans, après la parution dans Allô Police d'un dossier portant sur Marcel Picard, que j'avais rencontré au pénitencier de Saint-Vincent-de-Paul avant son transfert à Port-Cartier. M. Dupré m'a alors mis au courant des événements que vous évoquez dans votre lettre, événements que nous appellerons l'Affaire Martucci. Cela m'avait fort intéressé et j'étais disposé à aider M. Dupré dans ses recherches. Hélas ! Ainsi qu'il le confesse dans une lettre datée du 12 juin 1992, il m'a fait lors de notre rencontre des promesses qu'il a trahies par la suite. Il déclare aussi que Maurice Gratton, en l'occurrence votre humble serviteur, n'est pas « friand de vérité » sinon quand il s'agit de « vendre du papier » ou de faire « avancer sa carrière » ! Il ajoute qu'il a gardé secrètes les « fouilles archéologiques » auxquelles vous veniez de vous livrer, avec de « brillants résultats » ! Pire encore, dans une autre lettre, il me traite de « simple faire-valoir » ! Voilà qui n'est pas très flatteur, vous en conviendrez.

En supposant que je sois désormais plus assoiffé de vérité du seul fait que j'écrive dans La Presse plutôt que dans Allô Police, pourquoi accepterais-je aujourd'hui de « secourir » quelqu'un qui n'a pas joué franc jeu lorsque j'offrais candidement ma collaboration ? La question ne se pose même pas, puisque je ne sais rien que vous ne sachiez déjà.

Vous avez atteint le but que vous visiez en obligeant la police à rouvrir le dossier. Vous connaissez donc aussi bien que moi les conclusions de l'inspecteur Valiquette, qui a repris l'enquête après que vous lui ayez fait part de vos découvertes : Michelina Martucci a été enlevée le 24 septembre 1950 par Rosaire Durand et Marcel Picard avec la complicité de Charles Elward, chez qui elle avait d'abord été entraînée par Marcel Picard. Emmenée le même soir chez Durand, elle est demeurée séquestrée pendant une soixantaine de jours avant de mourir (de cause inconnue, car il n'est même pas certain qu'elle ait été assassinée). Toujours selon Valiquette, une partie de son corps a été retrouvée le 29 mars 1951…

Je m'arrête ici, car vous êtes déjà au courant de tous ces détails, comme vous n'êtes pas sans savoir – à moins que vous n'ayez cessé, après la mort de votre ami, de lire les journaux, d'écouter la radio ou de regarder la télé (de toute façon, l'inspecteur Valiquette vous a certainement mis au courant de l'événement) – que Marcel Picard s'est suicidé le 23 août 1992, une semaine après votre rencontre avec lui. Ayant appris la nouvelle dès le lendemain, j'ai alors fait ma petite enquête, qui n'a strictement rien donné. Aux dires des gardiens qui l'ont trouvé pendu dans sa cellule, Picard n'a laissé aucune explication. La mort du dernier témoin a subitement mis un terme à l'enquête de la police.

Mais, dites-moi, avez-vous mis l'inspecteur Valiquette au courant de la rencontre entre votre ami Jean-Luc et cette ex-religieuse qui aurait été témoin de rendez-vous entre Picard et la petite Michelina à la fin des classes ? Voilà un élément d'information qui aurait pu, sinon résoudre l'énigme, du moins permettre d'expliquer pourquoi la petite a suivi Picard chez Elward sans opposer trop de résistance, contrairement à ce vous avez perçu.

Veuillez croire que je regrette autant que vous que ce crime horrible n'ait jamais été résolu. Le très énigmatique Rosaire Durand est le coupable tout désigné, mais il a emporté son secret dans la tombe. C'est ainsi que la police a conclu son enquête, vous devriez faire de même.

Ce qui m'étonne le plus, c'est que vous n'ayez pas songé depuis six ans à concrétiser le projet de votre ami Jean-Luc Dupré. Car, à défaut de résoudre de manière satisfaisante l'affaire Martucci, votre échange de lettres est, si j'ose dire, un véritable roman. Jean-Luc Dupré voulait écrire un livre, mais il est mort en étant persuadé, à tort, d'avoir échoué dans son entreprise. Dans sa dernière lettre, il se libère temporairement du joug paternel et se laisse aller, comme il dit, à faire de la littérature. Puis, pris de remords, comme s'il venait de commettre un crime, il endosse de nouveau, mais avec une sorte de rage pathétique, sa défroque de petit comptable. Comme s'il y avait quelque chose de honteux ou de contradictoire à ce qu'un homme sache à la fois écrire et compter ! Là où votre ami se trompait, c'est en présumant que le roman dont il rêvait était encore à faire. Au contraire, son roman existe déjà, et vous l'avez écrit à parts égales avec lui. Qu'attendez-vous donc pour le publier ? Un conseil : revenez vite de Moscou et faites ce que vous avez à faire.

Cordialement

Maurice Gratton

P.-S. – Il n'y a rien à rajouter à ce que racontent déjà vos lettres, mais puisque, à vos yeux, l'histoire tragique de Michelina Martucci n'a pas trouvé de conclusion satisfaisante, faites comme tous les romanciers : inventez-en une !

2007

Épilogue

Markham, Ontario, 9 septembre 2007

Monsieur Robert Daigneault
Boîte postale 533
Succursale Fleury
1221, rue Fleury,
Montréal (Québec)

Monsieur,

Je suis une voix du passé. Je ne sais même pas si vous vivez encore. Je le souhaite ardemment.

Vous ne vous souvenez peut-être pas de moi, je suis la mère de Michelina Martucci, Minou, comme vous et votre ami Jean-Luc l'appeliez. Nous nous sommes rencontrés le 8 avril 1992, chez moi, à Markham en Ontario. Vous cherchiez alors de l'information à propos de la disparition et de la mort de ma petite fille et nous avons échangé un bon moment à son propos. Vous sembliez bien intéressé par son sort. Ça fait quinze ans. J'étais déjà une vieille femme qui, par la grâce de Dieu, a survécu à ce jour. J'ai 96 ans et ne peux même pas écrire cette lettre à cause de mes tremblements. Les médecins parlent de Parkinson. J'ai donc demandé à ma voisine, Marie Trudeau, de traduire mes propos et de les mettre sur papier.

Si je vous écris, c'est pour vous faire part des nouveaux renseignements que j'ai obtenus de la Police du Québec.

En octobre 2006, les policiers ont découvert des ossements sous la voie ferrée traversant Montréal d'est en ouest. Je m'explique.

Il semble qu'en 1950, quelques mois après la disparition de Michelina, le CN a dû effectuer des travaux sur la voie ferrée au niveau de la rue Foucher, là même où demeurait Rosaire Durand, l'aumônier des Louveteaux et des Jeannettes du quartier. La compagnie de chemin de fer a dû changer un égout majeur qui traversait les voies du nord au sud.

Un nouveau bris en 2006 a obligé le CN à changer ce tuyau (culvert, je n'ai pas trouvé l'équivalent français). Coincés sur le côté inférieur de ce tuyau, on a découvert, bien alignés bout à bout, deux jambes, deux bras et un petit crâne. La police a procédé à des analyses, comme ils le font dans CSI (mais moins rapidement) et ils ont fait le lien avec le tronc de ma chouette (*my little dove*) trouvée dans le parc Saint-Hubert en 1951. Aujourd'hui, les techniques d'analyse sont plus perfectionnées qu'en 1950. Le torse et les membres découpés appartenaient à la même personne. En analysant des cheveux ou des prélèvements faits sur moi et mon mari, à l'époque, ils ont confirmé que ces restes étaient bien ceux de Michelina.

Mes pires craintes se trouvaient confirmées. J'avais toujours cru que Michelina n'était pas morte et je gardais espoir qu'un jour, avant ma mort, j'entendrais parler d'elle. Mais sûrement pas de cette façon.

Si ce n'était que de ça, je n'aurais qu'à vous annoncer sa mort et à dissiper les doutes qui pourraient subsister sur sa disparition. Mais il y a plus.

Sur le front du crâne de ma petite Minou, les policiers ont trouvé un dizainier. Vous savez, ces chapelets que portaient les scouts sur leurs ceintures. Taillés dans un métal quelconque, ils ressemblaient aux engrenages d'une roue avec, à la place d'une des dents, une croix. Les scouts, louveteaux et jeannettes égrenaient ces chapelets lors de leurs prières. Gravé à l'arrière du dizainier, il y avait deux initiales : R.D.

Les policiers ont fouillé dans leurs dossiers de causes non résolues et ont établi le lien avec Rosaire Durand. Ils en viennent à la conclusion qu'il est le responsable de l'enlèvement et de la mort de ma pauvre petite fille. J'ai tendance à les croire.

Monsieur Daigneault, Robert, l'ami de Minou, je crois qu'il est temps de dire que l'affaire est close. Bouclée. Enfin terminée. Pour ma part, mes sentiments sont mélangés. D'une part, je suis contente de voir la fin de ce calvaire. De l'autre, je sens la colère monter en moi envers ce pervers qui a fait du mal à ma fille.

Je tiens à vous remercier, vous et Jean-Luc, pour avoir persévéré dans la recherche de la vérité. Alors que tous avaient abandonné, vous vous êtes chargés de mettre à jour ces tristes événements.

J'espère que cette lettre vous parviendra et pourra mettre un baume sur vos plaies comme les révélations de la police l'ont fait pour moi.

Merci. Merci d'avoir cru en Minou. Merci de votre sollicitude.

Michela Di Stefano Martucci

Nécrologie

Michela Martucci, née Di Stéfano,
est décédée en 2008.

Robert « Pinocchio Loco/Frankie Le Felquiste »
est décédé en 2004.

Jean-Luc Dupré
est décédé en 1992.

Michelina « Minou » Martucci
est décédée en 1950.

Extrait du catalogue

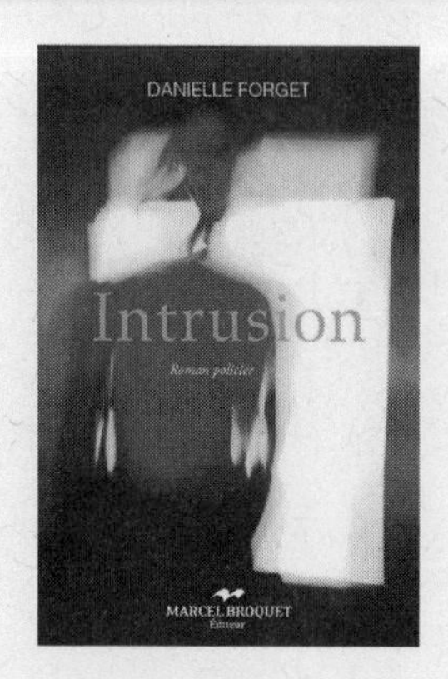

Intrusion
DANIELLE FORGET
Roman policier

Faites la connaissance d'Ariane Vidal, journaliste d'enquête policières à Montréal et en Colombie.

....

L'appétit des eaux
DANIELLE FORGET
Roman policier

Retrouvez la journaliste Ariane Vidal et l'inspecteur Donovan à Montréal et au Brésil

....

La cliente
MICHAEL DRAPER
Roman d'action

Deux milliards et cinq cent millions de dollars. C'est la fortune héritée de son père par Eva Gonzalez. Aventures et péripéties à travers le monde

....

Le coût de la beauté

ANDRÉE DAHAN

Roman policier

Viol ? Vengeance ? Intrigues ? Sadisme ? Et cela se passe à Laval au Québec.

Le Cycle

ÉRIC ANSELLEM ET TINO PALMA

Roman policier

Où la vérité n'est pas toujours bonne à dire.

La danse des évêques

ANDRÉ K. BABY

Roman policier

L'univers de Saas Fee en Suisse perturbé à tout jamais. Un policier qui s'engage dans un labyrinthe de fausses pistes qui le mènera à Paris, Rome, Londres, Moscou et jusque dans les Antilles dans une course contre la montre.

Cet ouvrage, composé en Trixie
et Garamond Premier Pro,
a été achevé d'imprimer sur les presses
de l'imprimerie Friesen Corporation,
Altona, MB – Canada
en janvier deux mille treize
pour le compte
de Marcel Broquet Éditeur